Le blogue de
Namasté
> L'amour
n'est pas mort

D1176752

LES ÉDITIONS LA SEMAINE
2050, rue De Bleury, bureau 500
Montréal (Québec) H3A 2J5

Directeur-général des éditions: Pierre Bourdon
Directrice des éditions: Annie Tonneau
Directrice artistique: Lyne Préfontaine
Coordonnateur aux éditions: Jean-François Gosselin
Infographiste: Marylène Gingras
Scanneriste: Éric Lépine

Réviseures-correctrices: Nathalie Ferraris, Marie-Hélène Cardinal, Jenny-Valérie Roussy
Photos de la couverture: Shutterstock
Illustrations intérieures: Shutterstock

Les propos contenus dans ce livre ne reflètent pas forcément l'opinion de la maison d'édition.

L'éditeur bénéficie du soutien de la Société de développement des entreprises culturelles du Québec pour son programme d'édition.

REMERCIEMENTS
Gouvernement du Québec – Programme de crédit d'impôt pour l'édition de livres – Gestion SODEC

Nous reconnaissons l'aide financière du gouvernement du Canada par l'entremise du Fonds du livre du Canada pour nos activités d'édition.

Toute reproduction, par quelque procédé que ce soit, est interdite sans l'autorisation du titulaire des droits.

© Charron Éditeur inc.
Dépôt légal: troisième trimestre 2013
Bibliothèque et Archives nationales du Québec
Bibliothèque et Archives Canada
ISBN (version imprimée): 978-2-89703-118-3
ISBN (version électronique): 978-2-89703-119-0

Maxime Roussy

Ma première
modification corporelle
Namxox

Publié le 8 février à 9 h 21
Humeur : déchainée

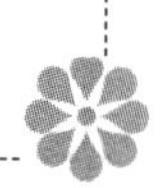

> **Tempête de bonheur dans ma caboche**

Si quelqu'un avait la folle idée de faire un vox pop à mon sujet en accostant des inconnus dans la rue et en posant la question suivante : « Pouvez-vous nommer une qualité de Namasté ? », les réponses seraient diverses.

Outre les « Qui c'est ça, Namasté ? », « Non, merci, j'ai pas d'opinion sur les crustacés », « C'est pas la fille qui a une prostate en plein milieu de la poitrine ? » et « C'est l'I.T.S. qui a muté et qui donne des boutons sur les dents ? », je suis certaine qu'une personne portant une perruque blonde bon marché empruntée au département de théâtre de son école secondaire, des lunettes et des broches, s'approcherait de la caméra et du micro et dirait de moi que je suis belle, pétillante, allumée, drôle, brillante, souple (hein ?) et ronde en bouche (re-hein ?). En guise de conclusion, cette même personne au look pouilleux mais à la personnalité ô combien sympathique révélerait que Namasté est le grand esprit qui a découvert pourquoi les mammouths (MAMMOUTHS !) sont disparus 3 700 avant J.-C. (Au fil des siècles, ils ont évolué en développant une trichophobie, une peur des poils ; c'est l'abus de la crème dépilatoire qui a mené à leur perte - oui ! oui ! On a retrouvé une bouteille aux côtés d'un pauvre bébé mammouth mort des suites d'une asphyxie due à l'odeur du diable de ladite crème dépilatoire dans les glaces de la Sibérie. Sans blague, faudrait travailler cet aspect déplaisant du produit ; elle a mené à l'EXTINCTION D'UNE RACE DE MAMMIFÈRES, et Namasté est la seule à avoir dénoncé la situation. Quel courage, cette fille !)

Cette personne (qui me ressemble étrangement, mais, je le jure, ce n'est pas moi *because* je portais une perruque blonde bon marché ce jour-là, ah, zut, O.K., j'avoue, c'était moi), cette personne, donc, possède en toute modestie les qualités énumérées précédemment et même moins (ronde en bouche, *WTF ?*).

Personne ne peut affirmer, cependant, que je suis violente.

Ça, j'en suis persuadée.

Oui, j'ai souvent agressé Fred avec une fourchette à fondue pour aucune autre raison que cela me divertissait, mais ça ne compte pas, *c'est mon frère*.

C'est pas de la violence, c'est de l'amour fraternel.

Je suis plutôt le contraire : ultra-pacifiste.

À la salle de bain, avant de me soulager, je m'agenouille devant le support à papier hygiénique, je ferme les yeux, je baisse ma tête et je demande pardon à l'arbre qui va servir à me torcher.

Ouverture d'une parenthèse ÉPIQUE.

(Est-ce que « torcher » est un mot vulgaire ? Il me semble qu'utilisé dans ce contexte, il ferait friser les poils de narines de madame Shhh, la technicienne en bibliothéconomie de l'école.

Vérification faite, c'est un mot familier, mais pas vulgaire. Donc les poils de madame Shhh sont saufs.

Oh, en passant, parlant d'intérieur de narines, j'ai pris le temps de regarder le tout avec une lampe de poche ce matin, question de mieux me connaître et parce que je n'ai tellement pas de devoirs et d'étude à faire en ce moment. Je dois donc me dénicher des passe-temps passionnants et, l'intérieur d'une narine, C'EST VRAIMENT EFFRAYANT. Et... j'en ai deux !

Âme sensible s'abstenir.

C'est comme des cavernes dont les murs seraient recouverts de tiges pilaires et produiraient du liquide visqueux de manière aléatoire. TOUT CELA ENTRE MES YEUX ET MA BOUCHE !

J'ai essayé de crier dedans, voir si quelqu'un y habitait, un homme des cavernes ou quelque chose du genre, mais j'ai pas eu de réponse. Et c'est poche, y'a même pas eu d'écho. Mais il me semble avoir entendu le grognement d'un ours en hibernation. C'était ça ou mon estomac qui gargouillait de faim.

Parce que dans le fond des cavernes, il y a quoi ? Si on se rentre une branche d'arbre [oui, qui appartiendrait à ce même arbre converti en papier hygiénique, quel destin lugubre !] dans le nez et qu'on va jusqu'au bout, on se retrouve dans un cul-de-sac rempli d'acide si puissant qu'il peut faire fondre du métal !

Je suis cependant heureuse d'écrire que j'ai scruté les narines de Youki mon p'tit chien d'amouuur et elles sont PAR-FAI-TES. Lisses et accueillantes. S'il y avait une tornade, je ne verrais aucun inconvénient à m'en servir comme abri.

J'ai hâte au jour de mes dix-huit ans ; je vais enfin pouvoir avoir recours à la chirurgie esthétique sans l'accord ou plutôt le désaccord de mes parents. Ce ne sera pas de nouvelles lèvres, pas une nouvelle poitrine, non, ce sera une rhinoplastie : je me débarrasserai de mon nez et je m'en ferai greffer un de chien.

Fini les pertes de cheveux dues à la terreur que mon visage m'inspire quand je me regarde dans le miroir et bonjour à la saillie médiane du visage au-dessus de la lèvre supérieure parfaite !

J'ai. Tellement. Hâte. D'être. Majeure. ☺

Pour ça et pour pouvoir acheter des feux d'artifice. Comme ça, si je suis perdue au centre commercial ou prisonnière d'une toilette, je vais pouvoir en faire éclater pour augmenter les chances qu'on me retrouve.

Toute cette circonvolution pour dire que je suis *full* antiguerre. C'est ancré si profondément en moi que, tous les matins, quand je me rends à l'arrêt pour prendre l'autobus, je me sens jugée par les arbres que je croise et j'ai peur que l'un d'eux perde son sang-froid et me donne un coup de branche sur une fesse ou s'effondre sur moi ou me lance un nid plein d'oisillons nus et affamés, le cou étiré et la gueule ouverte. Des arbres, ça n'a pas de cœur, au propre comme au figuré.)

Fin de la parenthèse ÉPIQUE.

Dans le fond, je suis contre la violence parce que je suis peureuse. Une grosse pleutre. 😕

Si j'étais certaine de ne jamais subir les conséquences de mes actes, je deviendrais une véritable psychopathe.

Les médias me surnommeraient la Piqueuse *lunettue* et *brochue*. Armée de ma fourchette à fondue, je ferais un tas de victimes, surtout dans les magasins de chaussures parce que dans mon enfance, j'ai subi un traumatisme qui s'est passé à cet endroit (fait vécu qui explique tous mes comportements meurtriers : à quatre ans, j'ai essayé une paire de chaussures et la commis a oublié de retirer les boules de papier au fond. Elle a poussé super fort pour que mes pieds entrent et elle m'a fait marcher. J'avais mal, elle me fouettait avec une branche [coïncidence prodigieuse, la même qui va servir des années plus tard à entrer dans mon nez, atteindre mon estomac et m'infliger une punition corporelle sur les foufounes] et tout le monde me pointait du doigt en riant. Ça m'a marquée au point d'avoir développé une obsession pour les boules de papier et pour les fourchettes à fondue parce que la commis en avait une de plantée dans l'œil – j'ai oublié de le mentionner, non ? Trop vache pour me relire. Cette commis, elle travaille toujours au même endroit et elle porte maintenant un truc de pirate [on appelle ça un cache-œil]. Et elle a toujours la fourchette à fondue plantée dans l'autre. Comment elle fait pour travailler? Elle assène des coups aux clients avec sa canne blanche!)

(Ouf, est-ce que ça paraît que je suis de bonne humeur? Je m'énerve moi-même.)

(Au secours, je suis prisonnière des parenthèses! Aidez-moi à m'en sortir! Quelqu'un a une pelle mécanique pour que je puisse creuser un tunnel et passer en dessous? Ou un réacteur dorsal pour passer par-dessus? Trop *cool*, un sac à dos qui crache des flammes, j'en veux tellement un!)

Parlant de ça, je suis en feuuu ce matin.

Tellement en feuuu!

À l'aide, je ne niaise pas, je suis *véritablement* en feuuu, c'est pas une manière de parler! Comme dirait monsieur Patrick, je suis en feuuu au propre, pas au figuré!

Je dansais de joie autour d'un bûcher sur lequel grillait une sorcière – ouais, j'ai finalement décidé d'en sacrifier une – et je me suis pris les pieds dans son sapristi de balai. Va-t-elle un jour apprendre à se ramasser?! Euh, non.

(...)

Je m'assène des gifles afin de me remettre dans le droit chemin parce que je commence à m'énerver et je reviens.

(...)

Focalise, Nam. Focalise.

Parle de ta soirée d'hier.

Raconte ce qui s'est passé.

Raconte que t'as fait de toi une guerrière.

OMG OMG OMG, Wolfie vient de me texter.

Je reviens plus tard.

Promis.

****

Noire ou blanche?

Désirez-vous posséder des pouvoirs auxquels seules certaines femmes ont accès? Oui? Vous avez déjà pensé devenir sorcière? L'Institut des sciences occultes (I.S.O.) vous offre des cours correspondant à vos aspirations. Apprenez à jeter des sorts, voler sur un balai ou préparer des potions à base de larmes de bébés, de poudre de lézards ou d'autres ingrédients *weird*, mais qui donnent de la crédibilité à la patente. Tout ce qu'il vous restera à faire sera de choisir entre le Bien et le Mal.

www.lewifiestdisponiblepartoutducotedumal.com

****

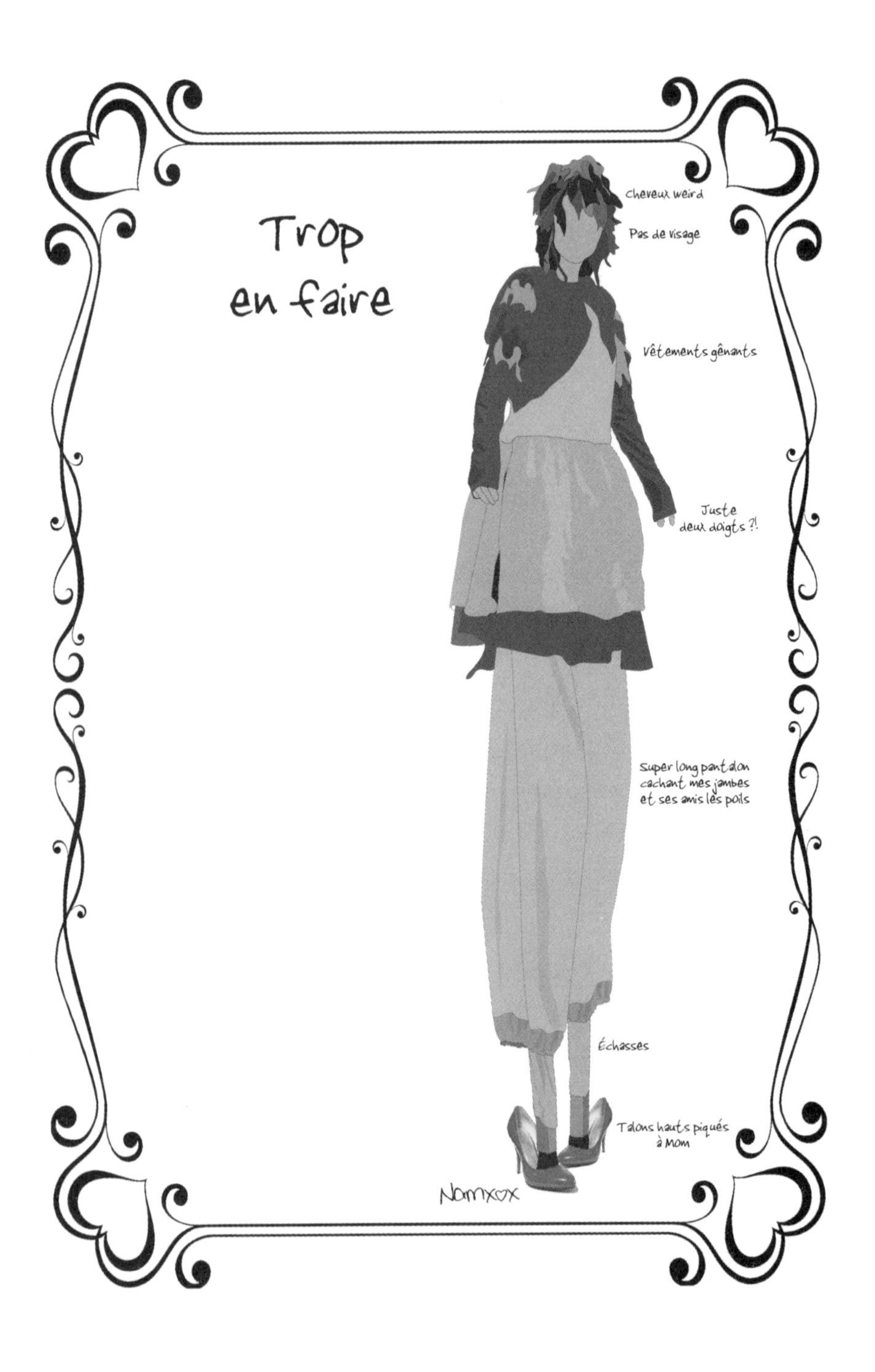
Trop
en faire
Cheveux weird
Pas de visage
Vêtements gênants
Juste
deux doigts ?!
Super long pantalon
cachant mes jambes
et ses amis les poils
Échasses
Talons hauts piqués
à Mom
Namx♡x

Publié le 8 février à 11 h 42
Humeur : extasiée

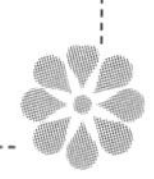

> Au huitième ciel

Mouais...

M'est avis que je me suis gourée avec Wolfie et ma zone amitié, maladie que j'ai affectueusement nommée zo'na.

Ma théorie ne tient plus : une fois qu'un gars est dans la zo'na d'une fille, il ne peut pas en sortir parce que la région est clôturée par du fil barbelé électrifié.

Il y était au début mais, contre toute attente, il en est sorti.

Comment il a fait ? Un hélicoptère est venu le chercher ? Il a des jambes comme celles d'un kangourou et il a sauté par-dessus ? Il s'est téléporté ?

Sais pas.

Ce que je sais, cependant, c'est que je suis amoureuse de lui.

J'ai tous les symptômes : hier soir, quand je suis allée le rejoindre à l'auto de son père, qu'il avait stationnée en face de la maison, je suis devenue rouge comme un poivron (euh, pas le jaune ou le vert, le rouge, tsé), mon cœur s'est mis à jouer du gong frénétiquement, je n'arrivais pas à parler de manière intelligible (c'est l'amour ou les sept bébés carottes que j'essayais de mastiquer ?), je tremblais (c'est l'amour ou le froid? - on a sonné à la porte la nuit d'avant, c'était un bonhomme de neige qui voulait entrer parce qu'il avait peur que sa carotte ne souffre d'engelures [euh, sa carotte, c'est son nez, pas, euh, son, euh, laissez faire]) et j'ai été super maladroite en glissant sur une plaque de glace et en tombant sur les foufounes devant lui (c'est l'amour ou mes talons hauts de dix centimètres? - ça m'apprendra à vouloir jouer à la « femme moderne qui veut s'émanciper du patriarcat » [je ne sais même pas ce que ça veut dire]).

J'ai déjà affirmé dans mon blogue que la sensation amoureuse était essentiellement une affaire de chimie: une hormone (encore!), l'ocytocine, est sécrétée quand on se sent bien avec quelqu'un, quand il pose des gestes tendres et qu'il nous dit qu'il n'en revient juste pas comme on est belle. Tout ça entraîne la production d'endorphines et de dopamine qui procurent des sensations de bien-être.

J'ai beau me dire que ce n'est qu'une question d'hormones, qu'il n'y a rien de plus biologique au monde, c'est une sensation magique.

Amour, je t'aime!

Si quelqu'un inventait la drogue de l'amour, de l'ocytocine en concentré, je suis certaine que ce serait un succès.

On pourrait même en mettre dans les réservoirs d'eau potable, comme le fluor pour prévenir les caries.

Ça ferait une société tellement *cool*.

Tout le monde se ferait des sourires, tout le monde serait de bonne humeur, tout le monde serait poli, tout le monde se tiendrait par la main pour tourner en rond autour de bornes fontaines ou de bennes à ordures en entonnant des odes à la joie.

Un monde parfait !

Puis tout le monde se mettrait à se toucher, à se donner de la tendresse, à éteindre le soleil, à allumer des bougies et à faire gicler de l'huile d'amandes partout pour se faire des massages en public, sans retenue et sans gêne.

J'avoue que ça pourrait dégénérer.

Surtout si certains tombent amoureux d'objets inanimés comme des grille-pains, des autobus ou mon prof de maths (il est vraiment endormant).

On pourrait alors assister à des scènes disgracieuses.

L'hormone de l'amour pour tous pourrait également créer une pénurie de chiens-guides (parce que « l'amour est aveugle », ah ! ah ! ah ! je suis hilarante).

Il n'y aurait plus de labradors, de golden retrievers, de labernois ou de bouviers bernois ; il faudrait alors exploiter des chihuahuas tout tremblants. Pauvres choux !

Je pense qu'il vaut mieux que la situation ne change pas. Comme diraient Fred et Tintin, il vaudrait mieux éviter une « Amour Apocalypse ».

Pour l'instant, j'en vis une à l'intérieur de moi et c'est assez à gérer.

(…)

Hier soir, donc.

Party « intime » chez un ami de Wolfie.

Quand ce dernier m'y invite, je dis oui, après m'être assurée que le lieu ne sera pas souillé par cette nouvelle musique du diable, le rock'n'roll, dont le messager principal est cet ange exterminateur qu'on appelle Elvis Presley et qui se permet des déhanchements vulgaires en public.

Wolfie est venu me chercher avec l'automobile de son père.

Je n'ai pas posé la question, mais je suis à peu près sûre qu'il n'était pas dans le coffre arrière à écouter la radio FM en stéréo.

Wolfie a stationné la voiture à cinq cents mètres de la maison où on faisait la fête.

Je lui ai demandé :

– L'adresse, c'est le 205, non ?

– Ouais, c'est ça.

– On est au 1756. On pourrait se rapprocher un peu, non ? Il fait super froid dehors.

– Je ne préfère pas. La dernière fois, il y a eu du saccage.

– Du « saccage » ?

– Ouais. Des œufs ont été lancés sur les véhicules, des pneus ont été crevés, des vitres ont été brisées. Il y a même une auto qui a été renversée. Et brûlée.

– C'est pas un party « intime » ?

– Nan. Je t'ai dit ça juste pour que tu ne sois pas intimidée.

Je lui ai asséné un super coup de poing sur son épaule musclée.

Mes jointures ont craqué et j'ai fait: «Ayoye, krimpoff!»

Il a ricané.

– T'es violente. Laisse-moi soulager ta douleur.

Il a approché ma main de sa bouche et l'a embrassée.

– Ça va mieux?

– Non, t'as embrassé ma mitaine, grand dadais.

– Pas question que je pose mes lèvres sur ta peau.

– Pourquoi? T'as peur d'attraper ma lèpre?

– Nan, la lèpre, je l'ai déjà. C'est que si je touche ta peau avec mes lèvres, tu vas t'évanouir d'extase.

Pour ce manque total de modestie, je lui ai asséné un autre fulgurant coup de poing. Cette fois, c'est mon poignet qui a craqué.

– Arghh, j'ai dit en collant ma main sur ma poitrine, regarde ce que tu m'as fait.

– Voyons, voyons. T'exagères pas un peu?

– Moi? Je n'exagère jamais! Je crois que c'est une fracture qui a déchiré ma peau. On voit l'os, sûrement.

Il a glissé la main dans la manche de mon manteau.

Une main douce et chaude.

Il s'est mis à caresser mon avant-bras.

Ça m'a donné la chair de poule.

- Tu vas mieux?

- Oui. Mais tu dois continuer. Tu m'as fait *vraiment* mal.

- Même si c'est toi qui m'as frappé?

- Ouais. Même si c'est moi qui t'ai frappé.

À ce moment, j'ai eu une folle envie de l'embrasser.

Mais on a cogné dans la vitre.

C'est à ce moment que ça a dégénéré.

(...)

Fredouille la fripouille a besoin de l'ordi, la suite plus tard.

Autre moyen de se rendre au 7e ciel
Namxox

Publié le 8 février à 15 h 04
Humeur : sereine

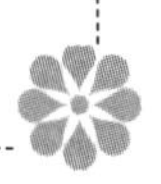

> **On se calme, Nam**

Je pensais voir Wolfie aujourd'hui, mais on l'a appelé pour qu'il aille travailler à l'épicerie.

Il remplace un de ses amis emballeur qui n'a pas pu se présenter parce qu'il a chopé un virus (ouais, il était au party hier soir: son «virus», c'est qu'il a trop bu d'eau de vie et qu'il s'est réveillé ce matin entre le bain et la toilette avec le visage barbouillé au marqueur permanent, œuvre de ses «chums de gars»; il se voyait mal servir les clients avec des insultes écrites sur son visage).

Donc, je suis toute seule.

Et je pleure sur mon lit en me donnant des coups de poing sur la poitrine parce qu'on m'a abandonnée.

Certes, Kim m'a invitée chez elle, mais elle ne compte pas parce qu'elle habite à cinquante mètres de ma maison.

J'ai refusé parce que je préfère souffrir en privé, loin de tous ces appareils photographiques et caméras qui scrutent chacun de mes gestes.

NAWAK!

Je vais trèèèès bien.

C'est une bonne chose que je ne sois pas allée chez Wolfie parce que ça m'a permis de m'avancer dans mon travail de rédactrice en chef du formidable *Écho des élèves desperados*, édition spéciale Anti-Saint-Valentin.

C'est une idée que j'ai eue après que ma relation avec Mathieu a tourné au vinaigre et *avant* de tomber amoureuse de Wolfie.

Je voulais écrire que l'amour, parfois, c'est laid.

Même si je le pense toujours (mais pas avec Wolfie, lui et moi, c'est pour la viiiie – même si je ne sors pas officiellement encore avec lui, dans ce sens qu'il ne s'est toujours pas agenouillé devant mon père pour lui demander ma main), c'est difficile d'y mettre mon cœur.

C'est comme écrire des chansons de Noël en plein été.

Ou faire l'épicerie après une indigestion.

Ou se rhabiller après avoir passé un temps formidable sur une plage nudiste à jouer au badminton. (Mettons.)

J'ai écrit un article: « Les cinq avantages d'être célibataire ». Il me reste à le relire et je vais le coller ici, pour les postérieurs. (C'est ce qu'on dit, non? Non? Pour la « postérité » ! Ah ! Ça se ressemble quand même un peu.)

(...)

Suite du party « intime ».

Dans les fêtes où je suis allée, j'ai remarqué que je croisais souvent les mêmes types de créatures:

❁ Le blasé : il est assis par terre et il regarde devant lui, hypnotisé par l'ennui. Ou il texte. Mais le lundi matin, il raconte à tout le monde à quel point le party était cool.

❁ Le gars que personne ne connaît : il n'a aucune idée de ce qu'il fait là et y'a pas un invité qui l'a déjà aperçu quelque part.

❁ Le fantôme : tout le monde l'a vu, mais il a disparu. Le lundi matin, il jure sur la tête de sa tortue qu'il était pourtant là.

❁ L'intense : lui, il *veut* faire la fête. Il saute, il crie, il fait du *moonwalking* et, chaque fois qu'il croise quelqu'un, il saute dans ses bras et agit comme s'il venait de remporter un million de dollars à la loto.

❁ Le mélomane : à son avis, la musique est poche et il le fait savoir à tous.

❁ Les amoureux : ils sont seuls au monde et se *frenchent* toute la soirée. Ils arrêtent quand la police des mœurs (le parent-responsable) intervient.

❁ Le parent-responsable : il se promène, salue tous les « jeunes », leur donne la main, utilise des expressions qui ont déjà été *cool* dans les années 80, fait comme s'il faisait partie de la gang et se souvient de toi quand t'étais en maternelle et que tu t'étais retrouvé avec une gomme à mâcher dans les cheveux (ou une autre anecdote embarrassante).

❁ Le *douchebag* : il est là parce que toutes les raisons sont bonnes pour lui d'exhiber sa poitrine rasée et recouverte de tartinade à la noisette (il donne l'impression qu'il est *full* bronzé).

❁ La *douchette* : elle est là parce que toutes les raisons sont bonnes pour elle de porter un soutien-gorge *push-up* et de montrer au monde entier que la Fée Puberté ne l'a pas oubliée (pour avoir la même poitrine, ce n'est pas des kleenex que je devrais mettre dans mon soutien-gorge, mais deux rouleaux de papier essuie-tout). Elle se laisse tripoter et trouve ça drôle. Quand on lui demande si elle est féministe, elle répond : « Hi, hi, hi, c'est quoi ça ? »

❁ La fille qui pleure : elle est là parce que son *chum* l'a laissée, parce qu'elle vient d'être rejetée ou simplement parce qu'elle vient de couper des oignons.

❁ La fille qui raconte sa vie : si on fait l'erreur de lui demander comment elle va, elle nous narre son existence de manière chronologique, puis à l'envers et en mandarin.

❁ L'accro à son téléphone cellulaire : comme le blasé, il texte constamment, mais en discutant avec une autre personne. Il peut aussi jouer à des jeux ou consulter les nouvelles mises à jour sur sa page Fesse-de-bouc et il prend constamment des photos.

❁ L'inquiétant : il *cruise* tout ce qui bouge et se colle aux filles qui dansent. Surprise, il finit la soirée toujours seul à flatter un toutou qu'il a trouvé sur un lit.

❁ La fille inconnue: elle a *full* l'air de te connaître, selon ses dires, on a élevé les cochons ensemble et gravi l'Everest.

❁ La fille possessive: si son chum parle/regarde/hume une autre fille, elle pète les plombs et quitte les lieux. Bien entendu, le chum la suit, ahuri, ne comprenant pas ce qui se passe. Hey, Chose, elle est JALOUSE, ça te prend quoi pour t'en rendre compte?

❁ L'ado responsable: elle ne boit pas, porte des bouchons dans les oreilles, trimballe sa bouteille de désinfectant à mains parce que «si c'est une fête pour nous, les ados, c'est aussi une fête pour les microbes». Elle ne comprend pas qu'on gaspille un vendredi soir à s'éclater dans un party alors qu'on pourrait faire des maths. Elle jette un œil à son téléphone cellulaire toutes les cinq minutes pour s'assurer que ses amies et elle ne vont pas rater l'heure de rentrée.

❁ La personne intoxiquée: elle a trop bu, elle marche comme si on venait de lui faire faire cent tours sur elle-même et, inévitablement, elle se met à vomir là où c'est pas supposé, comme sur une plante ou sur le mec qui fait une prestation de *break dancing*.

Note: une personne peut posséder plusieurs caractéristiques parce que la nature nous réserve parfois de drôles de surprises.

Et on ne retrouve pas tous ces gens à tous les partys. Ce serait trop prévisible.

Ah oui, j'ai oublié la plus étrange et séduisante des créatures : moi, qui, telle une entomologiste au-dessus d'une fourmilière, observe le tout d'un œil amusé.

(...)

Hier soir, j'ai reconnu beaucoup des personnes énumérées plus haut et encore plus, dont :

- Un vieillard avec un bandeau fluo sur la tête et une épée de samouraï (lui, je me demande encore d'où il vient et, qui plus est, il semble que je suis la seule à l'avoir vu).

- Un dinosaure devenu géant en raison de son exposition à une bombe nucléaire. *Yep*, Godzilla était là.

J'ai aussi aperçu le gars ou la fille à la forme de Barbapapa (que j'aurais pu appeler Barbalaid[e] ou Barbamonosourcil si j'étais méchante - mais je ne le suis pas) assis(e) dans un coin avec une bouteille de bière dans les mains et qui en voulait à mon intégrité physique.

Je n'ai pas paniqué parce qu'il (elle) ne sait pas à quoi je ressemble.

J'ai même failli aller le (la) voir pour lui demander si il (elle) avait l'âge pour boire de l'alcool, question de faire honneur à ma réputation d'être parfois un peu trop baveuse.

Mais je me suis retenue en me rappelant que pour lui (elle), je me nommais Aglaaaééé et j'aimais sucer des lobes d'oreilles parce que, des fois, ça goûte le brocoli.

Alors que Wolfie faisait le tour de la maison en saluant ses amis et en me présentant comme sa « future blonde », j'ai croisé le regard d'une personne qui a déclenché chez moi un sentiment d'urgence : fallait que je quitte les lieux, et vite.

(...)

Mom a besoin de moi, je reviens bientôt.

C'est ce qui nous attend
quand on est hospitalisé

Publié le 8 février à 16 h 57
Humeur : soucieuse

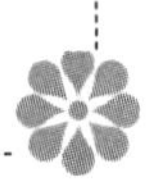

> Très chère Mom

Depuis que Mom est revenue de l'hôpital, elle ne semble plus la même.

En fait, c'est plus qu'une impression : elle n'est plus la même.

Sa voix est plus faible, elle marche plus lentement et elle se fatigue beaucoup plus vite.

Elle est maigre et elle a beau s'enduire le corps de crème, sa peau reste flétrie.

En raison des médicaments qu'elle prend, son visage est enflé.

Elle dort dix-huit heures par jour.

Elle a quarante-six ans, mais en paraît vingt de plus.

Je lui ai demandé plusieurs fois comment elle allait ; elle m'a répondu de ne pas m'inquiéter, qu'elle ne souffrait pas.

Sauf que je sais qu'elle ne me dit pas la vérité.

Tantôt, quand elle s'est levée de la chaise de la cuisine, elle a fait la grimace parce que ses os lui faisaient mal.

Il a fallu que Tintin l'aide à tourner la poignée de la porte de la salle de bain.

Et il n'est plus question qu'elle se lave seule. Ses os sont trop fragiles. Si elle chute, elle ne va jamais guérir.

Pop a installé un banc dans le bain et il va visser des gardes sur les murs pour que Mom puisse y prendre appui.

Qu'est-ce qu'ils lui ont fait, à l'hôpital?

Elle est entrée avec un virus et est sortie comme si on l'avait massée avec un rouleau compresseur.

Malgré tout, elle a le moral et elle sourit.

Pour elle, les tâches ménagères, c'est terminé. Faudra donc que Fred et moi, on fasse notre part, qu'on aime ça ou non.

Pop aussi a dit qu'il allait en faire plus.

Je vais prendre soin de ma Mom d'amour.

J'ai dit que j'allais lui faire, ce soir, une manucure et un traitement des pieds.

Elle ne file vraiment pas parce qu'elle n'est pas partie en courant et en hurlant!

Pfff... Maudits cancers de schnoute. Je vous déteste! Je vous abhorre! Je vous abomine!

(...)

Hé, hé...

Wolfie vient de me texter. Il a terminé de travailler.

Il aimerait qu'on se voie ce soir. Habituellement, le dimanche soir, je ne sors pas, mais c'est journée pédagogique demain.

C'est mon héros, je ne peux pas le laisser tomber!

Oh, mais j'ai promis à Mom de lui faire un traitement des pieds. Hum...

À moins qu'il vienne à la maison? Ouais, c'est ce que je vais faire.

(...)

Le party «intime», la suite.

Ça se passe dans une maison banale sur une rue banale située dans une ville banale sur une planète banale. (Exception qui confirme la règle: sur cet astre, dans un pays nommé Thaïlande, il y a un centre d'esthétique approuvé par le gouvernement qui offre aux femmes de se faire frapper les seins; paraît que ça les rend plus fermes et plus gros. À part ça, y'a rien d'autre sur cette planète qui sort de l'ordinaire. Ah, j'oublie: le lait maternel des hippopotames est ROSE. *AWESOME*! C'est pour ça que c'est mignon un bébé hippo: il se nourrit de rose.)

Mais ce qui s'est passé dans cette maison, hier soir, est tout, sauf banal.

Alors que Wolfie et moi faisons le tour et saluons plein de gens que je n'ai jamais vus de ma vie, j'aperçois Godzilla.

Pas d'urgence, elle ne connaît pas ma véritable identité.

Puis, quelques minutes plus tard, je croise le regard de Valentine!

Signe que la situation était critique, elle m'a SOURI.

C'était pas un sourire.

Je l'ai vue partir en direction de Godzilla.

J'ai tiré sur la manche de chemise de Wolfie.

- Faut qu'on parte.

- Quoi? On vient juste d'arriver.

Le gars en face de Wolfie a crié :

- Ouaiiis, vous venez juste d'arriver, c'est l'heure du paaartyyy! Youhouuu! Versez-moi un contenant de Gatorade sur la tête, quelqu'un!

J'ai traîné mon (probablement) futur chum vers la porte de sortie située sur le côté de la maison. Mon épaule a frappé celle d'une fille qui avançait rapidement, clairement furieuse.

- Désolée, j'ai dit.

Elle ne s'est pas retournée.

Quelques instants plus tard, un gars est apparu, désarçonné, courant après elle.

- Attend, a dit Wolfie, on ne peut pas s'en aller, il nous faut nos manteaux!

- On n'a pas le temps!

- Il fait moins trente degrés Celsius dehors!

- Tout est dans ta tête. T'as qu'à penser fort fort qu'il fait plus trente.

- Ah oui? Et la clé de l'auto est dans la poche de mon manteau. Je n'ai qu'à penser fort fort pour qu'elle apparaisse dans ma main?

- On ne peut pas rester! Mes secondes sur cette Terre sont comptées!

– Hein ? Qu'est-ce que tu racontes ? Qu'est-ce qui se passe ?

– Namastééé !

Je me suis retournée, prête à donner un coup de karaté pour me défendre. J'ai failli crier « Ahhh ya ! », mais je me suis retenue au dernier instant.

Une fille trop maquillée s'est approchée de moi, sa poitrine lui remontant jusque sous le menton. Je n'avais aucune idée de qui c'était. Et son visage ne me disait rien du tout.

– Comment ça vaaa ?

– Euh, ouais, super, super, toi ?

– *Oh my God*, je ne pensais jamais que je te verrais ici. Écoute, c'est tellement un drôle de hasard, je pensais justement à toi aujourd'hui. Oh, attends.

Elle a sorti son téléphone cellulaire de sa poche, a lu un texto, a ricané, a tapoté son écran tactile tout en poursuivant son monologue.

– Écoute, tu ne sais tellement pas ce qui s'est passé aujourd'hui, tu vas CA-PO-TER. J'étais au centre *com* et je suis passée devant ce magasin, tu sais, avec les mannequins qui ont l'air d'avoir la gastro perpétuellement. Alors j'entre et là, y'a une fille qui s'approche et je lui demande s'ils ont des miroirs expressément conçus pour prendre des photos de nous-mêmes et là, elle me dit « je ne travaille pas ici », *oh my God*, j'étais tellement gênée...

Elle regarde de nouveau son téléphone cellulaire et texte une autre fois.

Pour ma part, terrifiée, je m'attends à ce que Godzilla surgisse d'un instant à l'autre, écrasant tout sur son passage.

– Allez, approche, on prend une photo ensemble. Je vais la mettre sur mon mur.

Elle fait entrer en collision sa joue avec la mienne, place son téléphone devant nous et fait une grimace, comme si elle venait de boire l'acide contenue dans une batterie d'automobile (aussi appelée *duck face*), et appuie sur le bouton.

Quand ma joue se sépare de la sienne, ça fait le même bruit que lorsque j'enlève le papier qui protège la partie adhésive d'une serviette sanitaire (shhhhp ! elle se maquille vraiment trop, j'ai senti qu'elle en avait laissé sur ma peau).

– Écoute, j'ai dit en essuyant ma joue, je ne veux pas te décevoir, mais je n'ai aucune idée de qui tu es.

– Mais oui, tu te rappelles... Hey, mais où tu t'en vas ? Je ne t'ai même pas encore raconté mes péripéties en mandarin ! Quelqu'un voudrait me tripoter, j'ai le goût de rire niaiseusement ?

Wolfie s'en allait porter secours à cette demoiselle en détresse quand je l'ai arrêté puisqu'une mission beaucoup plus importante nous attendait : récupérer nos manteaux dans un nid de serpents venimeux armés de mitraillettes !

Les chances que je survive à cette épreuve étaient quasi inexistantes.

Et pourtant...

Et pourtant je dois aller souper.

* *

Le Masq-À-Maq©: révolutionnaire!

Vous passez de nombreuses heures par semaine à vous maquiller et vous aimeriez les consacrer à d'autres occupations plus captivantes? C'est possible grâce au Masq-À-Maq©! Le soir, vous appliquez le maquillage à l'aide de pinceaux (non fournis) sur la pellicule en forme de visage. Trois tailles sont offertes: face grasse (gros visage), face insignifiante (moyen visage) et face à claques (petit visage). Le matin, il ne vous reste plus qu'à coller la pellicule sur votre joli minois et le tour est joué! La pellicule est absorbée par votre peau au cours de la journée et il en résulte un maquillage ravissant. (L'Organisation mondiale de la santé nous oblige de vous dire que notre produit peut provoquer, dans certains cas pas si rares, de sévères problèmes d'acné, des démangeaisons incontrôlables et la perte permanente des sourcils).

www.prendquelquesmoisdepratiquepourneplusavoir-lairdunclown.com

* *

Genre de mec rencontré dans mes cauchemars
Où sont mes balles ? Donne-moi mes baaalles !

Publié le 8 février à 21 h 37
Humeur : sereine

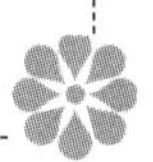

> **Doux comme un agneau**

(Je n'ai jamais connu personnellement d'agneau. Je me fie à la sagesse populaire, ce qui est probablement une erreur parce que lorsque j'étais petite, nous avons visité un zoo et j'ai été pourchassée par un bébé mouton qui en voulait à la moulée que je tenais bien fermement dans ma main. Mais bon, c'était peut-être une chèvre. Ou un *freaking* tigre. O.K, ça me revient, c'était un tigre. Il m'a avalée, mais avec mes ongles, j'ai fait un trou dans son estomac et je suis sortie, triomphante, avec ma poignée de moulée toujours intacte dans ma petite main fragile. Oui, je suis une dure à cuire. Même dans l'eau bouillante, je ne fléchis pas [mais je hulule comme une damnée].)

Je viens de passer une soirée super agréable. 🙂

Même si Wolfie y était, ça ne m'a pas empêchée de torturer Mom avec mes soins de pédicure.

Je n'avais jamais fait ça de ma vie (mes seules tentatives sur Youki mon p'tit chien d'amouuur ont été de lamentables échecs ; juste tenir immobile une de ses pattes est un calvaire pour lui, il couinait comme si j'utilisais sa queue comme fil dentaire [pour ça que je porte des broches, mes dents sont *vraiment* espacées]).

Et pas question de le faire sur moi, je ne désire pas mettre mon intégrité physique en jeu.

Malgré mon inexpérience, j'ai pris grand soin des ongles de Mom. Je les ai fait tremper dans de l'eau tiède-chaude pour ramollir le tout (Fred m'a dit d'ajouter des sels de mer ou des cristaux aromatiques, question de rendre l'expérience «plus saisissante»; j'ai fait semblant d'avoir entendu «plus salissante» et je l'ai traité de grossier personnage et il est parti.) J'ai repoussé les éponychiums (les gens peu cultivés appellent ça des «cuticules»; juste écrire ce mot vulgaire me donne la nausée: je m'écœure *tellement*, des fois!), donc j'ai repoussé les éponychiums (petites peaux à la base des ongles) en les menaçant de les manger, j'ai limé les ongles avec un citron (je me suis dit qu'en l'absence de lime, son cousin jaune allait faire l'affaire), j'ai coupé les ongles en carré, en losange et en triangle, j'ai appliqué du vernis avec un rouleau (j'ai dépassé un peu; dans la quasi-obscurité, ça ne paraît pas trop) et, finalement, j'ai hydraté les mains et les pieds de Mom avec de la margarine (parce que le beurre, c'est pour les riches).

J'avoue qu'on a frôlé la catastrophe - juste frôlé.

Je considère malgré tout que ce fut un succès.

Un moment donné, j'ai perdu le contrôle du pinceau et il est passé à ça de crever l'œil de Wolfie (ça a été une expérience aussi éprouvante que si j'avais piloté un hélicoptère et qu'il s'était mis soudainement à tourner sur lui-même et à japper sans mon consentement).

Y'a juste à moi que ça arrive, ce genre d'accident.

Je ne sais pas ce qui s'est passé, mais c'est comme si le pinceau était devenu vivant: il s'est jeté sur le visage de Wolfie telle une crème dépilatoire sur une touffe de poils récalcitrants.

Finalement, Wolfie s'est retrouvé avec une strie de vernis rouge sous l'œil, comme s'il s'était fait griffer par un félin sauvage (le *freaking* tigre de mon enfance).

Et j'ai bousillé mon jeans et mon chandail.

Et j'ai fait une trace sur la table.

Et sur la tête de Youki.

Pour une première, c'est pas si mal!

J'ai même fait une manucure à Wolfie!

Au début, il ne voulait rien savoir. Dès que j'ai posé sa main sur la table et que je l'ai retenue, il s'est mis à couiner comme Youki. Il a couru jusque dans la salle de bain, où je l'ai empêché de s'enfermer en l'assommant avec une poêle à frire.

Je ne ferais jamais ça sur mon chien, pauvre p'tit, je ne suis pas sans cœur à ce point! Mais un gars, c'est juste ça qu'il mérite: ça lui apprendra à ne pas m'obéir.

Quand Wolfie va reprendre conscience, il va avoir la surprise de sa vie: chacun de ses ongles a une couleur unique et j'ai ajouté des cœurs.

J'ai aussi rasé sa tête et j'ai tatoué ZOUKINI sur son front, mais ça, c'est secondaire.

C'est fou comme Wolfie est un gars doux. Je n'en reviens pas.

Surtout inconscient, mouahahaha !

(...)

Suite de La Plus Grande Et Dangereuse Aventure De Tous Les Temps (les majuscules, même si elles ne sont pas grammaticalement correctes, sont nécessaires, voire essentielles).

Wolfie et moi, dans une jungle remplie de pièges mortels, devons donc récupérer nos manteaux *because* il fait moins cent cinquante dehors et parce que les clés de l'auto de son père se trouvent dans une des poches de son blouson.

Problème : je suis sur le point d'être pourchassée par Godzilla qui, à la première occasion, va me broyer avec son monosourcil.

Main dans la main, courageusement, Wolfie et moi revenons sur nos pas.

Nous ignorons où l'hôte a mis nos manteaux.

Wolfie cherche quelqu'un qui pourrait nous aider. Il voit une personne assise dans un coin, loin du brouhaha, les yeux rivés sur son téléphone cellulaire.

Il lui demande :

– Hey, tu sais où sont les manteaux ?

Le mec, sans relever la tête, répond :

– Le party est plate. Et la musique est nulle.

– O.K., euh, merci d'avoir partagé ton opinion, mais les manteaux, tu sais où ils pourraient être ?

– Aucune idée. Quand j'ai mis les pieds ici, l'été dernier, il faisait chaud et je n'avais pas besoin d'un manteau. Depuis, je vis dans une garde-robe. Je sors quand les gens de la maison sont partis ou quand il y a un party ou un exercice d'incendie. Je mange un peu de tout, mais je ne termine jamais complètement les contenants pour ne pas attirer l'attention.

Wolfie s'est tourné vers moi.

Son sourcil gauche a formé un F, son nez un T et son sourcil droit un W.

FTW ?

Ça m'a pris quelques secondes pour comprendre qu'il avait inversé l'ordre des lettres parce que sa gauche était ma droite et sa droite à ma gauche.

Je lui ai expliqué la confusion qu'il pouvait lire sur mon visage et on a ri de bon cœur de ce malentendu.

Lentement, sans nous détourner du *weirdo* de crainte qu'il nous colle un poisson d'avril dans le dos parce qu'il a perdu la notion du temps (mettons), on s'est éloignés.

C'est alors que j'ai l'impression qu'une pieuvre me fait un massage des épaules.

– Mais qu'est-ce...

Je me retourne et découvre un gars, torse nu, avec un collier de coquillages dans le cou. Il a le corps bronzé (ou très sale), il danse en s'approchant vraiment trop de moi et assaille mes narines parce qu'il empeste le parfum bon marché (à moins qu'il ne se soit aspergé du contenu de ces purificateurs d'air qui servent à chasser les mauvaises odeurs dans les toilettes et qui portent des noms lyriques comme Tourbillon d'agrumes, Brise du printemps ou Tourbillon du printemps dans une brise d'agrumes).

Lui, c'était plutôt Fleur d'odeur suspecte.

Parce qu'il n'est vraiment pas musclé, il s'est dessiné au marqueur noir des pectoraux et des abdominaux. Problème : les *abdos* sont sur sa poitrine et les *pecs*, sur son ventre.

M'est avis qu'il a coulé son cours de biologie.

– Ouais, *baby*, ouais, je veux que tu me transmettes la fièvre de la danse !

Du bout de mon index, je l'ai repoussé. Mon contact avec sa peau a laissé sur la pulpe de mon doigt une trace brune. (Pulpe : extrémité charnue de l'extrémité intérieure du doigt – voilà pourquoi je bois toujours mon jus d'orange sans pulpe, parce que j'ai beaucoup de défauts, mais JE NE SUIS PAS UNE CANNIBALE !)

J'allais poser mon doigt sur ma langue afin de déterminer la nature du truc brun lorsque le gars s'est retourné. Dans son dos, quelqu'un avait tracé : LAVE-MOI.

Un test de goût était inutile : c'était un gros pas propre (encore plus sale qu'un malpropre).

– Recule, t'es dans ma bulle d'intimité.

– Ouais, intimité ! Ouais, parle-moi de ça, *baby* !

Il s'est approché de nouveau de moi en bougeant au rythme de la musique (je suis généreuse, on avait plus l'impression qu'il faisait pipi sur une clôture électrique).

Wolfie s'est interposé :

– Elle a dit que t'étais trop proche, t'as pas compris ? Merci de ta collaboration.

La pieuvre a fait aller ses tentacules dans tous les sens.

– À trois, peut-être ? Ouais, on le fait à trois !

J'ai regardé Wolfie.

– Il veut qu'on fasse quoi à trois ? Du kayak ?

– Ouais, baby, *kayak*, un mot qui peut se lire à l'endroit et à l'envers, un palindrome, t'es *tellement* chaude ce soir !

Les gars qui se pensent tellement *hot*, ça me répugne. Si, en plus, ils ne comprennent pas comment fonctionne un savon, je suis dégoûtée.

– Tu ne mérites même pas le qualificatif *douchebag*. T'es plus un *pasdedouchebag*.

La musique s'est arrêtée soudainement et tout le monde a tourné la tête vers moi.

– « Douche » versus « pas de douche ». C'est un jeu de mot parce que c'est un gros pas propre. Bon, O.K, c'était poche. Mais hey ! j'ai jamais dit que j'étais la reine des calembours. Tout comme mon existence, il m'arrive parfois d'être farfelue.

Satisfaits par mon explication confuse, les gens ont repris leurs occupations et le tapage (la musique) a recommencé.

Et voilà que le *weirdo* qui habite une garde-robe profite de notre inattention pour nous coller des poissons d'avril dans le dos.

Je le savais qu'il allait faire ça ! Je l'ai senti !

– C'est un vrai cauchemar, ce party, j'ai dit à Wolfie.

– Ouais, sauf que dans mes cauchemars, les monstres sont pas mal moins épeurants.

Parlant de monstre, le plancher s'est alors mis à trembler : même si il/elle n'était toujours pas dans mon champ de vision, Godzilla approchait.

La fin était proche.

Tout comme l'heure du dodo.

Ne manquez surtout pas la conclusion de cette aventure épique où s'entremêlent action, rebondissements, périls et amour dans *Le Godzilla contre l'adorable Namasté : le choc des titans.*

Les dents seulement,
les yeux sont superflus
Namxox

Publié le 9 février à 8 h 31
Humeur : grognonne

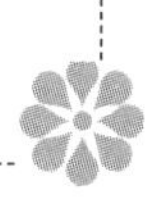

> **Déception**

Grrrr...

Mom vient de me rappeler que j'ai un rendez-vous chez le dentiste aujourd'hui pour resserrer mes broches.

Ark.

Ça gâche ma journée de congé, j'aime pas ça quand un professionnel de la santé joue dans mon corps. (Hum, drôle de phrase, mais bon, vu que je n'ai *aucunement* l'esprit mal tourné, je ne pense pas du tout qu'écrit comme ça, ça pourrait être interprété comme un examen gynécologique.)

Combien de temps avant que je puisse me débarrasser de mes broches ? Deux ans !

Re-grrr... et re-ark.

Quand le dentiste me l'a offert, j'aurais dû accepter de me faire arracher toutes les dents et de me faire poser un dentier.

Ça aurait été moins fastidieux. Et ça aurait été moins cher pour mes parents qui n'auraient pas été obligés de vendre mon frère à un cirque ambulant spécialisé dans les phénomènes de foire (chuuutttt !, faut pas lui dire, il n'est pas encore au courant, c'est son cadeau d'anniversaire pour ses dix-huit ans ; ça, et la cage qui vient avec).

Un dentier, c'est deux mille dollars. Mes broches? Six mille!

C'est plein d'avantages, un dentier:

- Ça ne développe pas de caries: je pourrais donc bouffer un nombre astronomique de réglisses rouges sans crainte (bonjour le diabète, mais ça, c'est une autre histoire);

- Ça va au lave-vaisselle;

- C'est sans bruit, ça fonctionne sans pile et c'est à l'épreuve du feu;

- Ça peut faire peur aux gars: devant un prétendant trop insistant, je n'aurais qu'à retirer mon dentier et à demander au courtisan de communiquer avec mes fausses dents parce que «le vrai patron, c'est elles»; si le gars se met véritablement à discuter avec le dentier et qu'il ne comprend pas que je le niaise, je pourrais faire comme si j'étais possédée par mon dentier et courir après le gars pour essayer de mordre sa pomme d'Adam;

- Ça se blanchit rapidement: un coup de rouleau de peinture et le tour est joué;

- C'est peu de frais d'entretien: avec tout l'argent que j'économiserais en n'ayant pas à m'acheter de dentifrice, de brosses à dent et de soie dentaire, je pourrais me payer de nombreux voyages autour du monde. Sans compter tous les nettoyages chez le dentiste, je n'ose pas y penser;

- Ça aide à se protéger en pleine nature: si je croise un braconnier qui me confond avec un rhinocéros ou un éléphant (après avoir mangé toutes les réglisses rouges de tout l'univers et de toutes les galaxies du monde entier) et qui veut faire de mes dents des bijoux d'ivoire ou des pièces d'un jeu d'échec, ce sera «va voir ailleurs si j'y suis et, en passant, je ne suis pas *si* grosse et je n'ai pas la peau *si* grise»;

❁ Ça sent bon rapidement : si je *puze* affreusement de la bouche au point que les gens autour de moi cherchent un animal décomposé dans la maison, un coup de *pouïche* de toilette et le tour est joué;

❁ C'est un ami fidèle à vie et qui ne vous trahit jamais. Des dents, c'est vivant, ça peut mourir. Pas celles d'un dentier. C'est éternel, comme un diamant, mais ça se pense moins bon.

J'ai même le titre de la biographie que je vais lui consacrer : *Mon dentier, ce héros obscur et juteux.*

Je ne le possède pas encore et je l'aime déjà!

(…)

Je sais que j'en ai souvent parlé, ça a même fait la une de certains journaux à potins, mais j'ai décidé que je voulais dénicher une blonde à mon frère.

Au départ, il a fallu que je détermine s'il était hétéro ou homo.

Considérant les sites Internet qu'il consulte en cachette, je pense qu'il est hétéro. (Il n'efface *jamais* son historique; faudrait que je lui explique le concept. Il pense qu'en lui donnant des coups de poing, la machine va souffrir d'amnésie et qu'en redémarrant, elle ne se souviendra plus des endroits *weird* qu'il a visités.)

Une preuve? O.K.

Effectuons une comparaison entre les sites sur lesquels je navigue et ceux de mon grand frère.

Il n'y aura aucune censure, ce sera la vérité dans toute sa splendeur (pour ma part) et dans toute sa laideur (pour celle de mon frère).

Promis, je ne triche pas.

Voici les cinq derniers sites que j'ai visités:

- *Ioutoube*, j'ai regardé une vidéo de «EPIC FAILS» avec des gars qui se *pètent la yeule* en *skateboard*, des gars qui se *pètent la yeule* en descendant un escalier dans un panier d'épicerie et des gars qui se *pètent la yeule* en sautant par-dessus une automobile qui file à cinquante kilomètres à l'heure;

- *NailsIn,* un site sur des vernis à ongles. *OMG*, il y en a qui brillent dans le noir et qui font apparaître un troisième œil dans le nombril;

- *Baby Animals,* un site de photos de bébés animaux dans des positions pas du tout naturelles (endormis dans une tasse à café, sautant en parachute ou jouant au ping-pong);

- *WEIRDWEIRDOS,* un site de photos bizarres-troublantes que je ne montrerais pas à Mom (je ne suis pas fière de celui-là, c'est une fille de ma classe qui m'a envoyé le lien: c'était écrit «NE CLIQUE SURTOUT

PAS, C'EST DU CARBURANT À CAUCHEMARS». Évidemment, j'ai cliqué, mais ce n'est pas de ma faute, j'ai comme été poussée par une force maléfique);

– Et, finalement, *Vos violettes et vous,* un site sur les fleurs parce que la relation avec ma violette africaine est difficile; elle n'a pas l'air heureuse de partager son intimité avec moi – peut-être que je l'indispose quand j'adopte des positions humiliantes de yoga, je sais pas trop, mais elle ne fleurit plus. Je vais lui donner plus d'amour, on verra bien.

Voici les cinq derniers sites que Fred a visités (ATTENTION! ATTENTION! ATTENTION! toute la bonté de l'humanité risque de se désintégrer à vue d'œil):

– Un site sur les effets spéciaux au cinéma;

– Un autre sur le boson de Higgs, aussi appelé «articule de Dieu», dont la découverte expliquerait pourquoi certaines particules ont des masses et d'autres non;

– Un site sur les caméras numériques et la qualité de certaines lentilles;

– Un site sur les vieux films d'horreur;

– Et une recherche qui portait sur la question suivante: «Est-ce qu'un nain peut faire du trot sans selle sur un chien saint-bernard et, si oui, peut-il le faire nu, les cheveux au vent?»

Hum.

À part le boson de Higgs, y'a rien de troublant.

Je me suis trompée sur le compte de mon frère.

Finalement, c'est moi la déséquilibrée de la famille.

La baroque. La brindezingue. L'olibrius.

Désolée, Fred, de t'avoir jugé.

****

Chéri, j'ai réduit les parents!

Cet été, venez visiter la toute nouvelle attraction: Le village de Tom-Pouce pour adultes seulement! Alors que vos enfants seront lancés dans une piscine de balles géantes avec un GPS accroché au cou pour qu'on puisse les retrouver un jour, vous aurez la chance de déambuler dans un univers de géants pour vivre une expérience unique. Vous croiserez des trésors d'ingénierie créés par un artiste trop subventionné. Découvrez la poubelle transformée en verre! Le tuyau d'égout en paille! L'ours grognon en rat (on l'a peint en blanc, on lui a ajouté des moustaches, une longue queue et des incisives tranchantes)! Caressez-le et vivez la peur de votre vie! Quelle autre attraction peut vous procurer autant d'émotions fortes? Hein? Hein? Allez, essayez de répondre à cette question. J'attends. Y'en a pas, n'est-ce pas? Ah! Ah! Je le savais! Déniaisez-vous et amenez-vous au Village de Tom-Pouce. C'est un ordre!

www.interditauxenfantsdepuisqueloursenadevore-quelquesuns.com

****

Yo, Shiva,
beau collier
Namxox

Publié le 9 février à 11 h 51
Humeur : déstabilisée

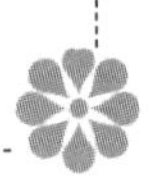

> **Moi? Non!**

J'ai demandé à Fred s'il aimerait avoir une blonde. Il m'a répondu :

– Une blonde ? Pour faire quoi ?

– Je sais pas. Partager des regards complices et des moments remplis de tendresse.

– Ark, arrête, je viens de manger. Je ne suis pas comme toi, moi.

– Comme moi ?

– Ouais, désespéré.

– Désespérée ? Je ne suis pas désespérée !

– Bah ouais. T'es même pas capable de passer un mois sans avoir de chum.

– C'est pas vrai. Je suis capable. C'est juste que ça ne me tente pas.

– T'es dépendante affective.

Même si je n'avais aucune idée de ce que ça signifiait, j'ai bondi parce que ça sonnait comme une insulte.

– Je suis dépendante de rien !

Tintin a ajouté son grain de sel.

– En fait, on est tous dépendants de quelque chose. De l'oxygène, entre autres. Et de l'eau. Et de la nourriture. Et du soleil.

– Ouais, ben moi, je ne suis pas dépendante affective.

– Steve ? a demandé Fred. Quel Steve ?

Tintin a émis une hypothèse :

– Elle parle peut-être du gars en quatrième secondaire qui, à la cafétéria, s'est entré un ballon dans une narine et l'a fait sortir par sa bouche ?

– C'était pas un ballon, c'était un condom, a précisé Fred.

– Ark ! Non !

– Les gars, j'ai pas dit « Steve », j'ai dit « affective ».

Lentement, Tintin a fait non de la tête :

– On doit penser quoi d'un gars qui réalise un tel exploit ? D'accord, il a impressionné beaucoup de filles et de gars, et sûrement aussi la madame de la sauce à poutine, mais pourquoi au bout du compte ? Faire entrer dans son nez un préservatif est-il un acte de rébellion en soi ou doit-on plutôt considérer ce geste comme de l'art postmoderne ?

Fallait que je mette un frein à ce délire contraceptif.

– Les gars, Steve n'a aucun rapport avec la conversation. Arrêtez.

– Tu le connais ? m'a demandé Fred.

– Non, pas du tout.

– Alors pourquoi tu l'as appelé Steve ?

– Parce que c'est son nom !

– Je te trouve pas mal familière avec lui. Je pense que tu le connais, sinon tu l'aurais appelé monsieur Steve. Tu vois, un autre gars sur lequel tu tripes.

– Je ne le connais pas.

Tintin a posé une main sur la mienne pour me rassurer.

– Même s'il s'appelle Steve, il a sûrement d'autres qualités. Une chose est sûre, il n'attrapera jamais d'infections transmissibles sexuellement par le nez. Ça fait un souci de moins.

Sur le bord de la névrose, j'ai pris une profonde inspiration pour ne pas péter les plombs.

– J'ai juste dit que je n'étais pas dépendante affective.

– Ben voyons, a dit Fred, t'entends parler d'un gars qui fait apparaître et disparaître des capotes dans ses orifices et tu tombes amoureuse de lui. Si ça, c'est pas de la dépendance affective, je me demande ce que c'est.

Il est comme ça, Fred : tellement confus qu'il a l'impression qu'il a du sens.

– O.K. Restons calmes. Primo, je ne connais pas de Steve et je n'ai jamais entendu parler des abus qu'il fait subir à ses narines. Secundo, je ne suis pas une dépendante affective. Tertio, dans le cas où tu persistes à dire que j'en suis une, il faudra conclure que t'es un dépendant neurovégétatif.

Fred m'a regardée comme si c'était mon nombril qui venait de parler.

– Ça n'a aucun sens ce que tu viens de dire.

– Ouais, a renchéri Tintin, c'est comme si tu disais que ton frère ne peut pas vivre sans la présence d'une personne qui a le cerveau tellement bousillé qu'elle ne répond à aucun stimulus. C'est un manque total d'empathie envers ces pauvres gens.

– Ouais, a ajouté Fred, t'as une pierre à la place du cœur. Rire des handicapés à vie, c'est dégueulasse.

Avant de lui faire entrer la tête de force dans une des fentes du grille-pain, je suis allée me réfugier dans ma chambre et j'ai mangé le contenu du réservoir de mon taille-crayon.

(...)

Suis-je dépendante affective?

Et un dépendant affectif, ça mange quoi en hiver?

Une recherche sur Internet m'a permis de découvrir que c'est un *attentionivore*, un *obsessionivore* et un *désespoirivore* (pas le goût de chercher les formes de dents qui correspondent à ces types de nourriture).

La personne dépendante affective est en manque d'attention; elle est obsédée par son amoureux à tel point qu'elle s'efface complètement et met de côté ses besoins pour ne pas déranger l'autre. Et lorsque l'autre lui demande de modérer ses transports avec ses sentiments étouffants, le dépendant affectif plonge dans le plus grand des désespoirs.

C'est une personne jalouse qui use de cris, de pleurs et de menaces pour garder l'autre et, en échange de son amour, fait tout pour lui, y compris poser des gestes illégaux.

C'est tellement moi, ça !

Mais nooon. Je niaise.

Ce n'est pas moi du tout.

Avec Mathieu, par exemple, je n'ai jamais accepté de voler pour lui faire plaisir. Et Shiva sait à quel point il a essayé de me convaincre d'essayer.

(Shiva : dieu hindou avec un troisième œil pour voir au-delà du matériel. Il a une peau de tigre qu'il a lui-même tué et porte dans le cou un cobra qu'il a apprivoisé : si quelqu'un est au courant de mes déboires avec Mathieu, c'est bien lui. Ah oui, la légende dit qu'il a dansé avec tant de férocité et de sensualité devant un méchant nain noir que ce dernier a reconnu en lui son seigneur. UN NAIN NOIR. Le plus coriace, cruel et mortel de tous les nains. Faut le faire.)

Je sais que ce n'est pas essentiel que quelqu'un fréquente amoureusement quelqu'un d'autre pour être heureux. On peut très bien être célibataire et un citoyen responsable *en même temps*.

Reste que l'amour, c'est tellement booon.

Même si dans mon cas, ça finit toujours mal.

Surtout avec Zak. Chaque fois que mes amours vont mal, je pense à lui et je me dis que s'il était toujours là, tout serait parfait.

Je sais que je l'idéalise, mais c'est plus fort que moi.

Toutes (ou presque) les relations amoureuses finissent mal.

Paraît que cinquante pour cent des mariages se terminent en divorce.

Et même dans un couple uni, la maladie et sa grande sœur la mort s'en mêlent, comme c'est le cas pour mes parents.

En théorie, l'humain apprend de ses erreurs. Si tu mets ta langue sur le soleil, tu vas te brûler et tu ne vas plus recommencer. (Mais bon, quoi faire d'autre que de lécher l'astre lumineux avec une langue qui mesure 149 597 870 kilomètres ?)

Quand tu poses un geste et que ça te fait souffrir, habituellement, tu ne recommences pas.

C'est le principe de l'essai-erreur : t'as une expérience, ça se termine mal, tu passes à autre chose parce que la douleur que t'as ressentie t'a fait comprendre que de te faufiler dans la cage des cobras dans un zoo pour les flatter, c'est pas une bonne idée (parce que y'a que Shiva qui peut les câliner).

Des fois, ça prend plusieurs expériences malheureuses avant qu'on comprenne ; mais si on a un tant soit peu de jugeote, à un moment donné, on saisit que un plus un fait deux et que de faire une bombe dans un volcan sur le point d'entrer en éruption, même si on bouche son nez, c'est pas l'idée du siècle.

Mais en amour, même si ça fait mal à la fin, même si on se fait planter le cœur sur une planche de bois pleine d'échardes avec un clou rouillé, on garde toujours espoir de trouver LA bonne personne.

Je me demande si Wolfie est la bonne personne ?

Même s'il est parvenu à fuir ma zo'na, est-ce que ça signifie qu'il est fait pour moi ?

Est-ce que je vais trop vite ? Est-ce que je devrais prendre plus mon temps ? Est-ce que je devrais demander à mon entourage de m'appeler Nam et exiger de lui qu'il m'appelle plutôt « Fesses de fer » ?

Avant de m'acheter une nouvelle paire de chaussures, je magasine : je les essaie, je compare les prix, je hume les semelles (pour juger de la qualité du caoutchouc ; parfois, je dois même en prendre une bouchée parce que c'est la seule manière de déterminer sa qualité, oui, voilà un autre domaine où je suis experte, ça et remettre la chaussure sur le présentoir comme si je venais pas d'y goûter ou fuir le magasin en sprintant parce qu'on vient de me voir), je grimpe l'Everest afin de déterminer si elles vont bien s'entendre avec mes pieds - parce que c'est dans l'adversité que la vraie personnalité des gens ressort. Donc, je prends toutes les précautions possibles avec les chaussures qui auront le privilège d'épouser la forme exquise de mes pieds douze heures par jour et je ne le ferais pas avec un gars qui pourrait accéder au poste le plus convoité de la planète, soit devenir président des États-Unis, mon *chum* ?

Je dois agir.

(...)

Wolfie s'en vient, on va faire nos devoirs ensemble.

(...)

FESSES DE FER !

****

Mou de partout?

Mou du ventre, mou des fesses et mou de la volonté? Raffermissez vos chairs et rassurez vos chers en prenant soin de vous. Laissez le Centre d'activité physique X-T-R-M (concept révolutionnaire) transformer votre corps de limace en celui d'un essuie-glace (mince, dur et avec ressort de tension). Pratiquez des sports extrêmes tout en vous entraînant. Soulevez des poids; si vous les déposez, leur contact avec le sol entraîne votre électrocution. Courez sur un tapis roulant; cessez et vous tombez dans un trou profond de plusieurs étages, puis vous atterrissez brutalement sur des plants d'herbe à poux et des cactus. Pédalez sur un vélo stationnaire; arrêtez et une horde de chacals sera relâchée et vous dévorera. Le Centre d'activité physique X-T-R-M (concept révolutionnaire) vous fera perdre du poids. Si ce n'est pas le cas, c'est parce que vous aurez eu un accident mortel. Donc, là aussi, vous perdrez du poids: voilà pourquoi le résultat est garanti à 100 %.

www.tubougesoutucreves.com

****

C'est la faute de Kim !
Namxox

Publié le 9 février à 13 h 59
Humeur : patiente

> Faudra me mériter

Wolfie et moi, on est dans ma chambre et on fait nos devoirs.

Mom m'a demandé de garder la porte ouverte, question qu'elle puisse s'assurer que lui et moi, on ne fabrique pas de bombes artisanales ou qu'on n'envoie pas de signaux codés aux communistes.

J'imagine.

Je suis bien avec Wolfie.

Il est beau, il sent bon, il est drôle (O.K., je me force un peu pour rire de ses blagues) et il plaît à Mom. 🙂

Seule ombre au tableau : il a un feu sauvage.

Un gros. Je ne peux pas détacher mes yeux de lui.

Je pense même qu'il a des pouvoirs télépathiques, je ne suis pas sûre encore.

Quand Wolfie est entré dans la maison, j'ai entendu une voix aiguë dire :

– Fait chaud *en* CENSURÉ *icitte.*

Je me suis tournée vers Wolfie, les yeux gros comme des pièces de deux dollars :

– Parle mieux que ça, ma mère peut nous entendre !

J'étais vraiment surprise. Y'a des gars (et des filles) qui blasphèment tout le temps – genre chaque trois mots – et je trouve que ça manque de classe.

Kim, elle... Ouf... Quand ses parents et les professeurs ne sont pas là, elle parle comme un bûcheron. Une vraie honte.

(Par souci d'objectivité, je tiens à préciser ici que je ne connais pas de bûcheron. Mais j'ai souvent entendu cette expression, donc je considère qu'elle doit avoir un fond de vérité. Question : est-ce que c'est à force de côtoyer des arbres qu'ils deviennent si peu courtois, les bûcherons ? Donc ce serait les végétaux qui leur auraient appris ces mauvaises manières. À moins que ce ne soit les arbres qui soient hypersensibles aux vulgarités : comme ils ne tolèrent aucunement les jurons, les bûcherons les abattent afin de les faire taire. Voilà bien des questions qui méritent d'être approfondies.)

Si la théorie du chaos existe vraiment (le battement d'ailes d'un papillon au Brésil peut provoquer un tsunami au Japon), les horreurs sorties de la bouche de Kim sont responsables de l'éradication de la forêt amazonienne, de l'effet de serre et de la disparition des dinosaures.

De toute façon, c'est *nawak*, cette théorie. Ça voudrait dire que taper sur mon clavier pourrait engendrer un typhon aux îles Mouk Mouk. Qu'est-ce que c'est lorsque je fais fonctionner mon séchoir à cheveux ? Une étoile à des millions d'années-lumière meurt ? Je serais donc responsable de la disparition de plusieurs soleils, la source de lumière et de chaleur de mondes inconnus qui abritent tout plein de créatures mignonnes à gros yeux larmoyants ?

Je me sens soudainement super coupable. Le séchoir à cheveux est maintenant banni de mon existence.

Je ne peux plus me laver les cheveux.

Et je ne peux plus échapper de livres dans mon bain.

Et je ne peux plus impressionner/effrayer Youki en collant le séchoir contre ma joue et en faisant comme si j'étais un dragon et que de l'air chaud sortait de ma bouche en faisant shhhh !

Hum...

Trop compliqué. Je crois qu'il est préférable que je me convainque que je n'ai jamais entendu parler de la théorie du chaos.

(...)

Voilà, c'est réglé !

La théorie du cacao ? *Kossé* ça ?

(...)

Après mon commentaire sur l'horreur qu'il venait de dire, Wolfie m'a regardée avec stupéfaction.

- De quoi tu parles ? Je n'ai rien dit.

- Tu viens pas de sacrer ?

- Moi ? Je ne sacre jamais.

Il retire son manteau et me le donne.

- Fais attention de ne pas perdre mon CENSURÉ de foulard dans ma manche.

- Alex !

- Quoi ?

– Je t'ai entendu !

– Je n'ai rien dit !

Il avait l'air sincère.

Et je me suis demandé comment il faisait pour adopter un tel ton, dans la mesure où il n'avait pas de ballon dans les mains pour en aspirer l'hélium et se créer une voix de farfadet.

Mom s'est approchée, ils se sont salués puis j'ai eu droit à :

– Sont où les CENSURÉ de *toélettes*, j'ai envie en CENSURÉ.

Et c'est là que je l'ai vu et que j'ai compris : je possède un sixième sens.

Non, je n'ai pas de prémonitions.

Non, je ne parle pas aux morts.

Non, je n'ai pas accès au monde invisible des anges.

Oui, j'entends les pensées des feux sauvages.

Gé-ni-al !

J'ai fait une recherche et il appert que « feu sauvage », c'est un surnom. Son vrai nom est « herpès labial ».

Ewww !

C'est *full* hypocrite. C'est comme si je commandais dans un restaurant exotique un plat qui s'appellerait « nectar de volcan » et que j'apprenais, après le repas, que ce plat s'appelle « vomi de piment fort » dans son pays d'origine.

Un feu sauvage, ça fait brutal. Ça fait déchaîné. Ça fait *badass*.

Je me ferme les yeux et je vois une flamme aux dents de requin et aux biceps de lutteur qui avance dans une foule de gouttes d'eau avec un lance-humain accroché au dos.

Ça ne fait certainement pas « éruption vésiculeuse de boutons groupés ».

J'ai quand même pris une décision : si Wolfie veut devenir mon *chum*, faudra qu'il le mérite.

Je ne sais pas encore ce qu'il devra accomplir, mais je veux qu'il se dépasse, qu'il aille au bout de lui-même. Je veux voir de quoi il est fait.

D'accord, son corps est composé de soixante pour cent d'eau, d'un pour cent d'herpès buccal qui blasphème, mais le reste, le trente-neuf pour cent, c'est quoi ?

Si c'est pas de l'*awesome*, je ne veux rien savoir de lui.

Parce que c'est ce que je mérite.

Et l'herpès buccal est une excellente manière de tenir mes hormones en laisse.

(...)

Attention, voici l'avant-dernière partie de l'incroyable aventure à grands déploiements de *Le Godzilla contre l'adorable Namasté : le choc des titans.*

Ben, après la pause !

Hologramme ?!
Namxox

Publié le 9 février à 13 h 59
Humeur : patiente

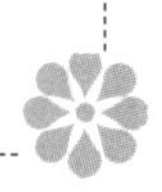

> Une promesse, c'est une promesse

Les murs tremblent, le plancher vacille, les feuilles des plantes frissonnent, je me jette sur Wolfie puisque je suis persuadée que Godzilla, avec ses grandes pattes griffues, approche.

Je me rends compte finalement que c'est juste la laveuse de la maison qui est en mode essorage.

Les manteaux ! Il nous les faut absolument parce que 1- il fait moins cent quatre-vingts dehors, 2- les clés de l'auto du père d'Alex sont dans son manteau et 3- pas de manteau, on ne peut pas se mettre nu et faire de l'exhibitionnisme dans les lieux publics (hein ?).

Enfin, nous croisons un poisson qui semble normal dans cette mer d'hurluberlus troublants : un adulte.

Wolfie tire sur la manche de sa chemise.

- Euh, excusez-moi, est-ce que vous pourriez nous indiquer où se trouvent les manteaux ?

- Hey, hey, *attaboy* les jeunes ! *Attaboy* !

- Oui, euh, les manteaux ? Vous auriez une idée où ils sont ?

- Hey, hey, *attaboy* ! *Atta-boy* ! Attends un instant... Tu serais pas Alexandre ?

Wolfie :

– Ouais, ouais. C'est moi.

– T'es pas celui qui a eu un accident en maternelle ?

– Je ne sais pas...

– Le train qui t'a coupé les jambes ?

– Euh, non. Ça ne me dit rien.

– T'étais peut-être trop jeune pour t'en souvenir.

– Eh bien, il me semble que si j'avais perdu mes jambes, je le saurais.

– Bah tu sais, j'ai dit, avec le poulet aux hormones, la pollution et les vidéoclips, des jambes, ça repousse.

L'adulte n'a pas relevé mon sarcasme.

– Je suis heureux de constater que cet accident ne t'a pas empêché d'avoir une petite amie. Parce que franchement, avec le sang qu'il y avait et les morceaux de chair accrochés aux branches des arbres, ça ne doit pas être beau à voir.

– Vous vous trompez d'Alexandre. Ce sont mes vraies jambes.

Wolfie a relevé son pantalon pour montrer à l'adulte qu'il faisait fausse route.

– Beau galbe de mollet, a dit notre aîné. Les poils sont aussi très réalistes. Hologramme ?

J'ai regardé Wolfie, hébétée.

– Euh, désolé, il a dit, je ne comprends pas trop l'allusion à l'hologramme. On aimerait juste, hum, nos manteaux.

– Oui, oui, bien sûr. Je disais simplement que tes jambes étaient des hologrammes réussis.

Hologramme : image gravée au laser qui donne l'impression d'être en trois dimensions. *Dephoque* ?!

Alors que l'adulte nous tournait le dos et nous faisait signe de le suivre, j'ai proposé à Wolfie de se taire en posant mon doigt sur mes lèvres.

Je voulais juste qu'on sacre notre camp au plus vite pour que cette suite de rencontres de personnages abracadabrants prenne fin et pour que s'estompe la menace de me faire *péter la yeule* en mille morceaux.

Dans les marches menant au premier étage, y'avait une fille qui tenait un toutou en pleurant.

L'adulte est passé à ses côtés, Wolfie aussi. Quand je l'ai frôlée, c'est ma jambe qu'elle a enlacée et c'est évidemment sur mon genou qu'elle a frotté ses yeux et son nez humides.

– Brrrruuuunnnnooooo-Steeeeeevvvvvveeeee ! elle s'est mise à bêler.

Wolfie s'est retourné pour voir où j'étais. Prisonnière d'une âme en peine, j'ai soulevé les épaules d'impuissance.

– Laisse-moi mourir ici. Ta vie vaut plus que la mienne. Je vais me sacrifier pour toi. Mon cadavre et cette fille au cœur brisé formeront un barrage qu'elle ne pourra pas traverser.

– Arrête de dire n'importe quoi. Allez, viens-t'en. Ne me laisse pas seul avec le bizarre à l'hologramme.

J'ai posé ma main sur la tête de la fille et je lui ai dit, avec une voix doucereuse :

– Si son prénom était Bruno-Steve, crois-moi, tu fais bien de ne plus être avec lui. Tu dois apprendre à t'aimer assez pour te respecter.

Sa réponse :

– Brrrruuuunnnnooooo-Steeeeeevvvvvveeeee !

Elles étaient où, ses amies, celles qui servent à consoler quand on est en peine d'amour ? Faut être mal prise en sapristi pour attraper la première inconnue qui passe à côté de soi !

J'étais supposée faire quoi de cette fille ?

Lui laisser mon jeans pour qu'il lui serve de mouchoir/objet de transition ? Et me retrouver en bobettes dans un endroit rempli d'inconnus (mon rêve !) ? Et devoir me confectionner une robe avec les rideaux du salon ?

Pourquoi ne pas se contenter du toutou ? Qu'est-ce que j'avais de plus que lui, à part un quotient intellectuel ?

Est-ce que j'aurais dû la gifler (ouais, GIFLER !) en lui criant qu'elle n'était pas la première ni la dernière à qui une peine d'amour arrivait ?

Lui rappeler qu'un gars qui s'appelle Bruno-Steve ne peut être qu'un crétin fini ?

J'ai tendu désespérément la main à Wolfie. Il s'est emparé de mon poignet et m'a tirée vers lui.

Je suis tombée dans l'escalier, mais je n'ai pas bougé d'un poil parce que la fille tenait ma jambe comme si sa vie en dépendait.

(...)

Wolfie et moi prenons une pause. On va aller marcher un peu.

****

Nom(n), ce n'est pas pour la vie!

Vous détestez votre prénom? Chaque fois qu'on vous le demande, vous baissez les yeux pour le murmurer et éclatez en sanglots? Vos parents étaient des rigolos irresponsables qui n'ont pas pensé un seul instant aux répercussions d'un prénom comme Frimousse, Sagesse-Divine ou Flatule? Ils vous ont donné un nom d'ange/de créature mystique/de lutin comme Féériel, Spiridon ou Narémyal? Nous vous offrons un service GRATUIT de remplacement de prénom. Choisissez enfin celui qui VOUS convient et que VOUS méritez. Ne soyez plus le zouave de service qu'on pointe du doigt et à qui on lance des tomates, et assumez une vie nouvelle! Certaines conditions ridicules s'appliquent.

www.enechangevousdevezporteraussilenomdeno-trecompagnie.com

****

Un de mes nombreux talents
Namxox

Publié le 9 février à 15 h 31
Humeur : croquinette

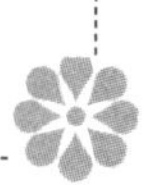

> Y'a des croco, coco, coco, crocodiles

Il fait tellement beau.

Il fait zéro degré, on n'a même pas besoin de mitaines.

On a marché une demi-heure en se tenant par la main.

C'est lui qui me l'a demandé en sortant de la maison. J'avoue qu'il m'a surprise.

– Pourquoi tu veux ma main ?

– Parce que je ne veux pas que tu partes à courir et que tu te retrouves dans la rue. Je ne te fais pas confiance.

– Oh, t'es tellement drôle. Je suis plus forte que toi, tu ne pourras jamais me retenir.

– Ouais, c'est ça. On verra bien.

Il s'est emparé de ma main.

J'ai essayé de me sauver, mais il la tenait avec force. Pour me libérer, il a fallu que j'use de stratégie : j'ai fait semblant que j'avais mal.

– Aïe. Tu me meurtris.

– Beau vocabulaire, mais je ne te crois pas.

J'ai adopté un ton suppliant, à la limite des pleurs.

– Tu me fais maaaal.

Ah ! Ah ! Il m'a relâchée.

J'ai bondi dans la rue.

- Gna gna !

Au ralenti, Wolfie a posé ses mains sur sa tête et a crié : « Nooon ! »

J'ai tourné la tête et j'ai vu une automobile foncer dans ma direction.

J'ai eu à peine le temps de sauter.

Mon corps s'est écrasé sur le capot tandis que mon crâne a fracassé le pare-brise.

Comme une balle frappée par un bâton de baseball par un joueur sur les stéroïdes, j'ai été propulsée une centaine de mètres plus loin.

J'ai lourdement atterri sur le pavé, où un souffleur m'a immédiatement avalée et déchiquetée pour me recracher en mille morceaux dans la benne d'un camion.

Wolfie est parvenu à récupérer mon philtrum, la courbe entre mon nez et ma lèvre supérieure qu'un ange a formé un posant son doigt sur moi pour me rassurer quand j'étais bébé ; on dit que plus elle est profonde, plus on a la capacité d'aimer (la mienne se rend en Chine).

Mon philtrum collé sur sa poitrine, Wolfie, les larmes aux yeux, se balançant d'avant en arrière, m'a chanté un rigodon, tout en me disant que tout allait bien aller - ben oui, Chose, je viens de passer dans un déchiqueteur à flocons de neige, tout va *tellement* bien aller... SURTOUT POUR LES MOUETTES QUI VONT M'AVOIR REPÉRÉE AU PRINTEMPS PROCHAIN À TROIS CENTS MÈTRES DANS LE CIEL PARCE QUE JE VAIS DÉGAGER UNE FRAÎCHE ODEUR DE CADAVRE EN PUTRÉFACTION.

Mais non, je blaaague!

Ah! Ah! Ah!

Je vous ai bien eues, filles en fleur!

Je n'ai pas eu d'accident.

Ce que je peux être fripouille quand je le veux! Gnac, gnac, gnac.

Une fois que j'ai réussi à me défaire de l'emprise de Wolfie après la prestation sublime de mes larmes de crocodile, je me suis éloignée et j'ai ri de lui.

- Ah! Ah! T'es tellement naïf!

Il s'est mis à me pourchasser et j'ai crié comme s'il était armé d'un coupe-ongles et d'une boucle de ceinture qui projette des tournevis à pointe étoilée.

Il m'a rattrapée rapidement - *because* je cours aussi vite qu'une tortue avec des bottes de ski - et il m'a jetée sur le sol.

On s'est retrouvés nez à nez. Nos bouches à moins de dix centimètres l'une de l'autre.

Il s'est approché lentement, et...

Et dans ma tête a éclaté une voix perçante comme un pic à glace:

- CENSURÉ de CENSURÉ qu'y fait *frette*, CENSURÉ que j'haïs l'hiver, si au moins les CENSURÉ de flocons étaient fuchsia, ben non, CENSURÉ, sont blancs! J'ai-tu assez hâte qu'on ait assez pollué pour que l' CENSURÉ d'effet de serre ait éliminé l' CENSURÉ d'hiver. Sont où les usines à charbon quand on a besoin d'elles? Et les autos qui consomment comme des CENSURÉ d'avions?

Ouaip, le feu sauvage de Wolfie m'a ramenée à l'ordre.

- T'es pas sur le point de m'embrasser? j'ai demandé.

- Non. Je sens ton haleine pour voir si tu souffres d'un cancer du poumon. Tu savais que certains chiens étaient entraînés pour ça?

- Euh... Poche blague.

Pour briser une ambiance, Wolfie n'aurait pas pu faire mieux.

Il a posé une main sur sa bouche et s'est couché sur le dos.

- Oh non, je suis désolé... Je... C'est vraiment inapproprié.

- Ça va, ça va.

- Je... Je suis sincèrement désolé. Je n'ai pas pensé un instant à ta mère.

- Ça va aller, je te dis.

- Merci de ta collaboration.

- Arrête de dire ça, c'est impersonnel.

Le malaise a pris fin lorsqu'on a été interrompus par un klaxon: il faut dire qu'on était couchés en plein milieu de la rue.😁

Avant de rentrer à la maison, on a tenté de faire un bonhomme de neige. Je ne veux pas en parler parce que juste d'y penser, ça me fait mal. C'était plus un «*nawak* de neige». Je n'en dirai pas plus pour protéger les innocents.

(...)

Donc.

Je suis dans les marches de la maison où se passe le pire party depuis celui tenu en Russie le 16 décembre 1916 par le prince Félix Ioussopov, dont un des invités, Grigori Raspoutine, a terminé la soirée avec quatre projectiles dans le corps, en plus d'avoir été empoisonné au cyanure et retrouvé noyé le matin suivant.

Ça peut *toujours* être pire.

Je suis en quête de mon manteau afin de fuir ce lieu maudit, mais une âme éplorée retient ma jambe en otage.

Je me suis fâchée.

– Lâche-moi, verrue tenace!

La fille n'a pas semblé affectée par mon insulte.

– Brrrruuuunnnnooooo-Steeeeeevvvvvveeeee!

Wolfie continuait de tirer mon poignet. Il a fallu que je lui demande d'arrêter; j'avais peur de me retrouver avec un bras deux fois plus long que l'autre.

L'adulte à l'hologramme est apparu. Wolfie:

– Vous pourriez lui demander de la relâcher?

– Encore son histoire avec Brrrruuuunnnnooooo-Steeeeeevvvvvveeeee?

Il a dit le prénom du sans-cœur avec autant de passion et de douleur que la fille, comme si lui aussi venait de se faire larguer par lui.

- C'est qui, ce Bruno-Steve ? a demandé Wolfie.

- C'est pas « Bruno-Steve », c'est « Brrrruuuunnn-nooooo-Steeeeeevvvvvveeeee », a répliqué l'adulte.

- Oh... Eh bien, qui c'est, ce gars ? À part d'avoir un nom qui se prononce comme si je m'étais fermé une porte d'auto sur un doigt, il a quoi de si spécial ?

- C'est pas un gars, c'est un cochon d'Inde.

En même temps, Wolfie et moi avons éructé :

- Hein ?

- SON cochon d'Inde, il a répété en pointant la fille.

C'est alors que je me suis rendu compte que ce n'est pas un toutou qu'elle tenait serré dans ses bras, mais bien un rongeur mort. 😮

J'ai super bien réagi à cette information :

- Sortez-moi d'ici CENSURÉ de CENSURÉ d'CENSURÉ du Saint-CENSURÉ des Trois-CENSURÉ !

(Oups, mes sacres ont provoqué la disparition de quelques espèces d'insectes laids et généré un ouragan dans le Triangle des Bermudes ; je vais faire attention la prochaine fois.)

Wolfie a tenté de nouveau de me libérer des griffes de cette adoratrice des mammifères sans vie, mais elle ne voulait rien savoir. Elle était agrippée à moi avec une telle force que je sentais ma jambe devenir mauve.

Si j'étais privée de sang pendant quelques minutes encore, il aurait fallu m'amputer sur-le-champ. Le côté positif de la chose aurait été le suivant: j'aurais pu la frapper avec ma jambe afin de me dégager. Le côté négatif: je serais ressortie de ce party avec un bras trop long et une jambe en moins.

Wolfie étant impuissant pour me sortir de cette situation dramatique et l'adulte aux hologrammes n'ayant rien trouvé de mieux à faire que de sortir son téléphone cellulaire pour nous filmer, j'ai décidé d'agir.

J'ai saisi le cochon d'Inde mort dans les mains de la fille et je l'ai lancé à l'autre bout du corridor.

– Allez, va chercher!

– Brrrruuuunnnnooooo-Steeeeeevvvvvveeeee, a hurlé la fille.

(J'ai vu la bête heurter la tête d'un vieux monsieur portant un bandeau avec une épée de samouraï dans le dos. Wolfie dit que j'ai halluciné, que c'était plutôt une plante... avec un bandeau et une épée de guerrier japonais? Pfff... Je maintiens ma version des faits.)

Tel que je l'avais prévu, la fille s'est jetée sur son animal domestique *kaput* et j'ai enfin pu recouvrer ma liberté.

J'ai pointé Wolfie:

– Tu me sors de cette maison de fous immédiatement, compris?

Dans la chambre des parents, on a trouvé une montagne de manteaux. On a entrepris de trouver les nôtres.

Après en avoir examiné une vingtaine (dont une peau d'ours [avec la tête et les griffes, comme pour un chaman] et une cape de vampire), on a découvert que deux amoureux s'étaient réfugiés sous la pile de manteaux pour s'embrasser.

- Euh, désolée, j'ai dit, on aimerait prendre nos manteaux.

Ils ont fait comme si on n'était pas là ; ils ont poursuivi leur frottage de langues avec, il me semble, encore plus de vigueur.

Je me suis tournée vers l'adulte.

- Vous pourriez vous impliquer ? C'est pas un peu indécent de se lécher comme ça ?

- Je ne peux pas, a dit l'adulte.

- Pourquoi ? j'ai demandé.

Il a levé les yeux et, d'un coup de menton, m'a fait signe de regarder derrière moi.

Il y avait un homme tout habillé de blanc coquille d'œuf. Ses cheveux blancs frisés étaient de couleur coquille d'œuf et son visage était peint en blanc coquille d'œuf. Il tenait un chronomètre dans une main. Je ne l'avais pas vu en entrant dans la pièce, probablement parce qu'il se fondait parfaitement au blanc coquille d'œuf du mur.

- Bon, un autre foufou. C'est qui, lui ? Et pourquoi il est déguisé en coton-tige géant ? Ne me dites pas qu'il va s'en prendre à mes oreilles pour essayer de les nettoyer ?

– C’est un observateur officiel.

Wolfie a mis la main sur mon épaule, pour montrer qu’il me protégeait.

Ou pour cacher ma bretelle de soutien-gorge qui dépassait et qui le troublait.

– Et il observe officiellement qui ?

– Ces deux-là. Ils tentent de battre le record du monde du baiser le plus long, qui est de cinquante-huit heures, trente-cinq minutes et cinquante-huit secondes. Un couple thaïlandais.

Je n’ai pas pu m’empêcher de raconter ce que je savais de fascinant sur ce pays.

– En Thaïlande, y’a un centre de beauté qui offre aux femmes de se faire taper les seins pour les faire grossir.

Gros malaise.

– Mais, euh, je doute que ça fonctionne. J’ai essayé et, euh, c’était pas trop concluant. Je pense même que mes seins ont eu peur de moi et qu’ils ont rentré par en-dedans. Genre, ils ont rapetissé.

Énorme malaise heureusement brisé par Wolfie.

– Euh, merci, Namasté, pour cette intervention pertinente.

À l’intention de l’adulte :

– Ils sont rendus où dans leur record ?

L’adulte a regardé le colossal Q-Tips, qui a observé son chronomètre avant de dire :

– Deux minutes trente-trois secondes.

– Wow, j'ai fait, ils sont proches du but. Ce sera bientôt l'heure des lasers, des torches de feu, des pluies de confettis et des jets de fumée. Si on ne doit pas leur faire une transfusion de salive avant, bien entendu.

On a enfin récupéré nos manteaux et la clé de l'automobile du père de Wolfie.

Ne restait plus qu'à déguerpir de ce sinistre lieu.

Parce que rien n'est jamais facile dans ma vie, il a fallu que je trouve par la suite mes bottes. Elles étaient dans une montagne d'objets mouillés destinés à protéger les pieds.

(…)

Je m'arrête ici parce que j'ai rendez-vous chez le dentiste pour faire ajuster mes broches.

Wolfie va m'accompagner jusqu'à l'arrêt d'autobus. Tellement galant, ce garçon.

Je suis consciente que certaines personnes pourraient penser que ce que je raconte est hautement exagéré.

Eh bien, détrompez-vous, gens imaginaires qui me lisez.

C'est même le contraire : je ne raconte pas tout parce qu'on m'accuserait d'amplifier la réalité !

Ma vie est une éternelle balade en montagnes russes.

Une promenade infinie dans un satellite qui orbite autour de la Terre.

Une randonnée sur le dos d'un mammouth (MAMMOUTH !) trop heureux de dégeler après avoir passé 10 000 ans dans la glace.

Puis, perso, je crois que s'il n'y a pas dans un party au moins une fille qui trimballe son cochon d'Inde mort, un mec qui vit secrètement dans la garde-robe de la maison ou un *douchebag* qui semble être bronzé mais qui est plutôt crasseux, on peut le considérer comme raté.

Pas de ma faute si la plupart des gens ont des partys plates.

Tsé.

Bande de jalouses.

Bébé Gencivia
Namxox

Publié le 9 février à 18 h 58
Humeur : sous le choc

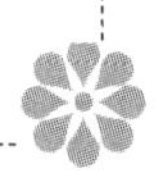

> C'est trop chien !

J'avais rendez-vous chez le dentiste à dix-sept heures quinze.

Je m'y suis présentée, guillerette, ne me doutant pas un seul instant que j'allais passer un mauvais quart d'heure (plus une demi-heure, mais bon).

Tintin m'accompagnait parce qu'il devait se faire faire un nettoyage. Au départ, j'étais contente de l'avoir à mes côtés, mais la situation s'est vite (SURPRISE !) envenimée.

Dans la salle d'attente, j'ai entendu mon nom.

Tel qu'il est inscrit dans mon dossier, on a déroulé le tapis rouge jusqu'à la salle de consultation sous une pluie de pétales de roses bleues. Un farfadet joyeux jouait de la clarinette – trop mignon, l'instrument de musique était plus long que lui !

Premier indice que c'était pas un rendez-vous habituel : c'était une salle différente.

J'ai demandé à l'hygiéniste dentaire, une grande dame d'une trentaine d'années aux cheveux bruns et que je voyais pour la première fois :

– Il se passe quoi ? La salle dédiée aux broches est occupée ?

- Non. Ton rendez-vous n'est pas pour tes broches aujourd'hui.

- Pour quoi, alors ? On fait faire une rotation à mes dents pour équilibrer leur usure ?

Elle m'a regardée avec les yeux d'un ruminant (buffle, yack, mouton, girafe, ça m'importe peu, pourvu qu'il régurgite sa nourriture à plusieurs reprises dans sa bouche pour de nouveau la mâcher).

- Ce n'est pas le genre de procédures qu'on peut faire en dentisterie.

J'ai déjà dit que j'haïssais les gens qui n'ont pas le sens de l'humour et qui ne perçoivent pas le second degré, n'est-ce pas ?

- Je le sais. C'était une blague.

- Ce n'était pas une blague puisque je n'ai pas ri. Et tu n'as pas ri non plus.

- Je sais. Mais si je ris, ça amoindrit l'effet.

- Quel effet ?

Elle m'a fait signe de m'assoir et m'a demandé d'ouvrir la bouche. Elle a entrepris de décrocher le fil métallique des boîtiers.

Après avoir terminé, elle a déclaré :

- Tu te fais arracher trois dents aujourd'hui.

Je me suis esclaffée. J'étais soulagée de constater qu'elle avait finalement le sens de l'humour.

- Ah ! Ah ! Ah ! Celle-là, elle est bonne.

Elle a posé une serviette de papier sur ma poitrine et elle est sortie.

Quand on veut faire rire, il faut déstabiliser. C'est exactement ce qu'elle venait de faire, preuve qu'elle avait le sens de l'humour et qu'elle était une pince-sans-rire.

Elle est revenue avec mon dossier et elle a sorti une radiographie de mes dents, qu'elle a posée sur une fenêtre vitrée. Elle a appuyé l'extrémité de son stylo à trois endroits différents.

– On retire celle-là, celle-là et celle-là.

J'ai décidé de jouer le jeu.

– Tant qu'à y être, on peut toutes les arracher. J'en ai marre de mes broches. Je veux qu'on m'appelle Gencivia, ou la Fille aux gencives.

– Ce n'est pas prévu dans la procédure.

J'ai sorti un vingt-cinq cents de ma poche que j'ai placé sur la tablette où reposaient plusieurs instruments.

– Peut-être que ceci pourrait vous aider à contourner la procédure.

Elle a observé la pièce comme si elle dégageait une odeur nauséabonde.

– C'est du matériel stérilisé, elle a dit.

J'ai encore fouillé dans ma poche.

– D'accord, j'ai compris, je constate que vous êtes une femme exigeante en affaires. Voilà, c'est tout ce que j'ai. Ma fortune est à vous. Profitez-en bien.

Une pièce de dix cents est allée rejoindre le vingt-cinq cents.

– Allez-y. Transformez-moi en Gencivia. C'est le fantasme d'une vie que vous allez concrétiser. Vous allez assister à la naissance d'une nouvelle superhéroïne qui va militer en faveur de gencives saines.

– C'est du matériel stérilisé, elle a répété, irritée.

Elle a pris les deux pièces de monnaie et les a mises dans la paume de ma main *avec violence :* oui, oui, elles ont presque percé ma si tendre peau et j'ai eu presque peur qu'on doive utiliser un marteau-piqueur pour les dégager.

Presque.

Mon septième sens m'a indiqué que ma première impression avait été la bonne : Claire, l'hygiéniste dentaire, ne rigolait pas. (Mon sixième sens ? Savoir quand mes rôties brûlent dans le grille-pain ; je dois avouer que je suis à peine aidée par le son strident du détecteur de fumée.)

Elle a sorti des seringues et des petits pots en verre contenant un liquide. Et une paire de pinces en acier inoxydable.

La pression a monté d'un cran.

– Sans blague, je ne me fais pas arracher de dents aujourd'hui. Ni demain. Ni jamais.

Claire a vérifié mon dossier.

– C'est inscrit qu'on doit t'enlever trois dents. Il faut donner de l'espace aux autres dents.

Parce qu'il y a déjà eu erreur de dossier, j'étais certaine que c'était encore le cas.

– Vérifiez le nom. Il y a erreur sur la personne. Il n'a jamais été question de m'enlever des dents.

– Namasté, c'est bien ton prénom ?

– Oui.

– T'es née le 16 janvier ?

– Oui.

– Alors il n'y a pas d'erreur.

– Attendez, des Namasté nées le 16 janvier, il peut y en avoir une tonne.

– Peut-être, mais elles n'ont pas ta dentition particulière.

Ma « dentition particulière » ? Ça voulait dire quoi ? C'était une insulte déguisée ? Elle sous-entendait que j'avais les dents d'une sorcière ?

Si c'est comme ça, la prochaine fois que je vais venir la voir, je vais faire une grève de brossage de dents pendant une semaine et je vais manger du beurre d'arachides quelques secondes avant d'entrer dans le cabinet.

Quand je vais ouvrir la bouche, elle aura l'impression d'assister à l'autopsie d'un insecte juteux qui peut mordre sans crier auparavant : « Enlève tes doigts de là ! »

J'ai commencé à suer au point où je sentais que mes aisselles pleuraient.

– Je veux parler au dentiste.

– Bien sûr. Il arrive dans quelques instants.

Claire est sortie. Un instant plus tard, sa tête est réapparue dans le cadre de la porte et elle a chuchoté :

– Tu vas souffrir, mouahahahah !

Elle a fait entrer et sortir sa langue et elle a fait « shhhh », comme un serpent venimeux prêt à bondir sur sa proie sans défense.

O.K., elle n'a pas fait ça. Mais j'ai *senti* qu'elle voulait le faire. Il a fallu qu'elle se retienne à deux mains et à deux pieds.

Après une éternité (moins de trente secondes), où j'ai angoissé comme un poisson portant des verres fumés assis à un bar à sushis qui craint de se faire reconnaître, le dentiste est entré dans la salle.

– On ne m'a jamais dit qu'on allait m'arracher des dents, Réjean ! je lui dis en guise de salutations.

– Je ne m'appelle pas Réjean, il a répliqué en observant mon dossier.

– Je sais, mais ça rimait. Comme Claire, l'hygiéniste dentaire.

– Je t'ai dit lors du dernier rendez-vous que c'était aujourd'hui qu'on procéderait à l'extraction.

– Vous avez parlé d'extraction, pas d'arrachement de dents !

– C'est la même chose.

– Ben là, ça ne compte pas, je ne savais même pas ce que ce mot voulait dire !

Il a posé une main sur la mienne.

- Tout va bien se dérouler, ne t'inquiète pas. Tu ne vas rien sentir.

- Je ne me suis même pas préparée !

- Il n'y aucune préparation nécessaire.

- Oui ! J'aurais pu m'inquiéter, faire des cauchemars, parler à mes dents pour qu'elles…

- Tout va bien aller.

Yeah, right! Facile à dire ; c'est pas lui qui était sur le point de se faire torturer !

(…)

Alors voilà, je me retrouve avec deux tampons dans la bouche. Avec les petites cordes blanches qui sortent de chaque côté, c'est de toute beauté.

Oui, oui, des tampons hygiéniques. Mom dit que c'est le meilleur absorbant qui soit (et le plus pratique).

Y'avait les serviettes sanitaires super méga absorbantes (que je n'ai jamais portées parce que j'ai peur de disparaître complètement, aspirée par la serviette ; paraît que c'est arrivé à une fille de quatrième secondaire), mais je me voyais mal en mettre une dans ma bouche.

J'ai encore un peu de fierté.

D'ailleurs, le premier usage des tampons, avant qu'ils ne deviennent populaires auprès des femmes, a eu lieu lors de la Deuxième Guerre mondiale.

Les soldats se les mettaient dans les oreilles pour ne pas être affectés par le bruit des bombes.

Mais nooon... C'était pour les blessures.

Je laisse l'ordi à Fred quelques secondes (pas plus!) et je termine mon histoire de fous.

Il s'est passé un phénomène que je ne revivrai plus jamais de ma vie.

C'est pas mal comme
ça que je me sentais
Namxox

Publié le 9 février à 20 h 49
Humeur : molle

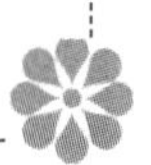

> **Intoxiquée!**

Se faire arracher des dents brutalement, sans avertissement préalable, a quand même ses avantages : j'ai bu un lait frappé pour souper.

Parce que la moitié de ma bouche était encore anesthésiée, la moitié de la boisson a coulé sur mon chandail; il m'aurait fallu une bavette, comme les bébés.

Fred a ri de moi, mais Mom m'a défendue :

– T'as rien à dire : t'as même pas la bouche gelée et ça te coule partout. Et ça, c'est juste avec ta salive.

Solidarité féminine!

Fred n'a rien répliqué, mais il n'était pas fâché parce qu'il s'est esclaffé.

Ma bouche commence à dégeler, ça fait une étrange sensation, ça picote un peu.

J'aimerais pouvoir me plaindre que j'ai très mal, mais ce n'est pas du tout le cas. Ça ne saigne même plus. Je garde les tampons dans ma bouche juste parce que je veux démarrer une mode ridicule.

Gnac, gnac, gnac.

(...)

Je sais que ça n'a pas trop rapport (genre, vraiment pas, comme 94,2 % des trucs qui se passent dans ma vie), mais si on considère que les feuilles d'un arbre absorbent du monoxyde de carbone et rejettent de l'oxygène, est-ce que ça signifie qu'on respire ses excréments ?

Encore plus troublant : c'est essentiel à notre survie !

Je crois que je pense trop. 🙄

(...)

Je suis assise sur la chaise de mon tortionnaire, la larme à l'œil. Et cette fois, je n'imite pas le crocodile.

Mais cela ne semble aucunement impressionner le dentiste.

– Fais-moi confiance, il me dit. Ça va bien aller.

– Combien de piqûres vous allez me faire ?

– Six. Peut-être neuf.

– Awwww ! Je vais mourir ! Vous auriez dû me mentir.

– Ça ne fait pas très professionnel.

– M'en fous. Je ne peux pas traverser cette épreuve seule. Y'a un ami à moi dans la salle d'attente, est-ce qu'il pourrait m'accompagner dans ma douleur ?

Le dentiste a demandé à Claire l'hygiéniste dentaire d'aller le chercher. Quelques secondes plus tard, mon frère apparaissait.

– Qu'est-ce qui se passe, mon p'tit ravioli ?

– Ravioli ? a ricané le dentiste.

– Ouais, a fait Tintin, c'est une pâte molle remplie de viande, de légumes et de fromage.

Le dentiste a eu un air désemparé tandis que Claire l'hygiéniste dentaire a soulevé les épaules d'incompréhension.

- Écoute, j'ai besoin de toi, mais promets-moi de ne pas être trop *weird*, d'accord?

- Trop *weird*? Je ne le suis jamais.

- Tiens ma main, s.v.p.

Le dentiste a pointé une chaise dans un coin de la pièce.

- En fait, il ne peut pas parce que je n'aurai pas assez d'espace de travail. Il va devoir tenir ton pied.

- Je vais te faire de la réflexologie, a dit Tintin en s'assoyant. Chaque organe, chaque partie de ton corps correspond à une zone sous ton pied. Je vais en stimuler quelques-unes pour favoriser la circulation d'énergie.

- Tu peux me stimuler l'organe du courage?

- Je vais essayer.

Pendant ce temps, Claire l'hygiéniste dentaire et Langis le dentiste préparaient leurs instruments de torture. Tintin me tripotait le pied en me demandant:

- Là, le sens-tu, ton organe? Le sens-tu? Et là? Est-ce que je suis sur ton organe? Organe, où te caches-tu? Youhou? Organe? Viens ici, mon minou. Dis, t'aimes ça quand je t'appelle comme ça, organe?

- Arrête de dire le mot organe, ça m'énerve.

- Prête? a demandé le dentiste.

J'ai fait non de la tête.

Le dentiste a regardé Claire.

– Peut-être un peu de protoxyde d'azote?

– C'est quoi? j'ai demandé.

– C'est un gaz hilarant qui va t'apaiser. Tu devrais moins souffrir. L'effet cesse quelques minutes après qu'on a enlevé le masque.

– Dis non à la drogue, a fait Tintin, et oui au soin non traditionnel de mon type de massage.

L'idée de me relaxer autrement qu'en me faisant pincer le dessous du pied m'a séduite.

– D'accord, je vais essayer.

– Nam, tu fais une grave erreur. Aujourd'hui, c'est le gaz hilarant. Demain, ce sera la cigarette. Après-demain, les vapeurs d'essence. Dans une semaine, la cocaïne, l'héroïne et la riboflavine.

– La riboflavine, a fait le dentiste, c'est une vitamine. Il y en a dans les asperges.

– Justement, les vitamines, ce sont les pires drogues. Parce qu'on en a absolument besoin pour vivre. J'ai une vision du futur : je vois Namasté couchée dans une ruelle sale, sombre et puante, avec une asperge plantée dans l'œil. Le fond du baril, Nam, tu vas l'atteindre et la première poussée, ce sera ton dentiste qui va te l'avoir donnée.

L'hygiéniste a recouvert mon nez d'un masque de forme ronde relié à une bombonne.

– Il est drôle, ton ami, elle m'a dit. Respire profondément par le nez.

Au début, c'était juste froid. Puis c'est comme si quelqu'un avait ouvert une porte sur mon crâne et qu'une brise d'air frais avait enveloppé mon cerveau.

J'ai commencé à sentir que ma tête devenait légère.

– Ça va? m'a demandé Claire.

J'ai fait oui.

En tout, j'ai reçu neuf piqûres, dont trois dans le palais, et je dois dire que malgré cela, ça allait.

Assez, en tout cas, pour dire à l'hygiéniste que son soutien-gorge aux bretelles en dentelle lui faisait bien.

Et pour lui demander où elle l'avait acheté et si elle était capable de le dégrafer d'une seule main.

À haute voix, j'ai émis l'hypothèse que je pourrais créer mon propre emploi comme dégrafeuse de soutiens-Georges puisqu'il semblerait que j'étais née pour ça, que j'avais un don, que c'était ma vocation, que j'avais été mise sur Terre parce que c'était ma mission: aider les femmes du monde entier à se libérer le plus rapidement possible du joug de leur *rack à jos*.

J'ai ajouté que je pourrais faire le tour du monde pour propager la bonne nouvelle et que je pourrais montrer aux femmes de la planète entière, qu'elles soient juives, musulmanes, chrétiennes, bouddhistes ou constipées, ma technique et ainsi former la Communauté de l'agrafe, dont chaque membre posséderait les connaissances ancestrales du doigté magique.

Dans mon esprit, tout était clair comme de l'eau de roche : la route de mon destin était toute tracée et exempte du brouillard de l'incertitude et de tueurs en série/barbus qui font du pouce.

J'ai tout raconté ça à Langis le dentiste, à Claire l'hygiéniste dentaire et à Tintin, qui continuait à me tripoter le pied en stimulant les zones de l'hypophyse, du colon transverse/ascendant et de l'anse sigmoïde.

Lorsque je suis retournée dans la salle d'attente, j'étais encore sous l'effet du protoxyde d'azote. Tintin m'a empêchée de dégrafer le soutien-gorge de pures inconnues que je voulais convertir à ma religion.

Ça avait du sens quand j'avais le masque sur le nez et quelques minutes après.

Maintenant que je ne suis plus sous l'effet du gaz hilarant, je reconnais que c'était complètement débile.

Et j'ai honte.

Je tiens à offrir mes plus plates excuses aux femmes du monde entier, qu'elles soient juives, musulmanes, chrétiennes, bouddhistes ou constipées, de les avoir impliquées dans mon délire : j'étais droguée.

Je demande pardon aussi à Georges et à ses soutiens. (Ça ferait un bon nom de groupe de musique, non ? Non ? D'accord, j'ai assez dit de niaiseries aujourd'hui - et pour le siècle à venir.)

Y'a un bogue : Tintin m'a dit que Claire l'hygiéniste dentaire avait reconnu avoir fait une erreur ; je n'aurais absorbé que de l'oxygène pendant l'intervention.

Je préfère ne pas me prononcer au sujet de cette rumeur ridicule.

(...)

Demain y'a école. Dodo.

****

Une plante divertissante

Venue directement d'un laboratoire secret, la *Dionaea gigantastica* saura impressionner petits et grands. Adoptez cette plante carnivore géante et, bouche bée, constatez ses exploits. Soyez témoins du visage horrifié de vos invités lorsque vous lui donnerez à manger son chihuahua mensuel. Avec beaucoup de patience, vous pourrez même lui apprendre à répéter certaines obscénités. Comme elle peut projeter à plusieurs mètres ses sucs gastriques, faites-lui atteindre des cibles mobiles telles que des oiseaux en plein vol, le facteur ou les vendeurs de tablettes de chocolat à dix dollars qui en valent moins d'un. Voyez-les être digérés vivants !

www.attentionavosdoigts.com

****

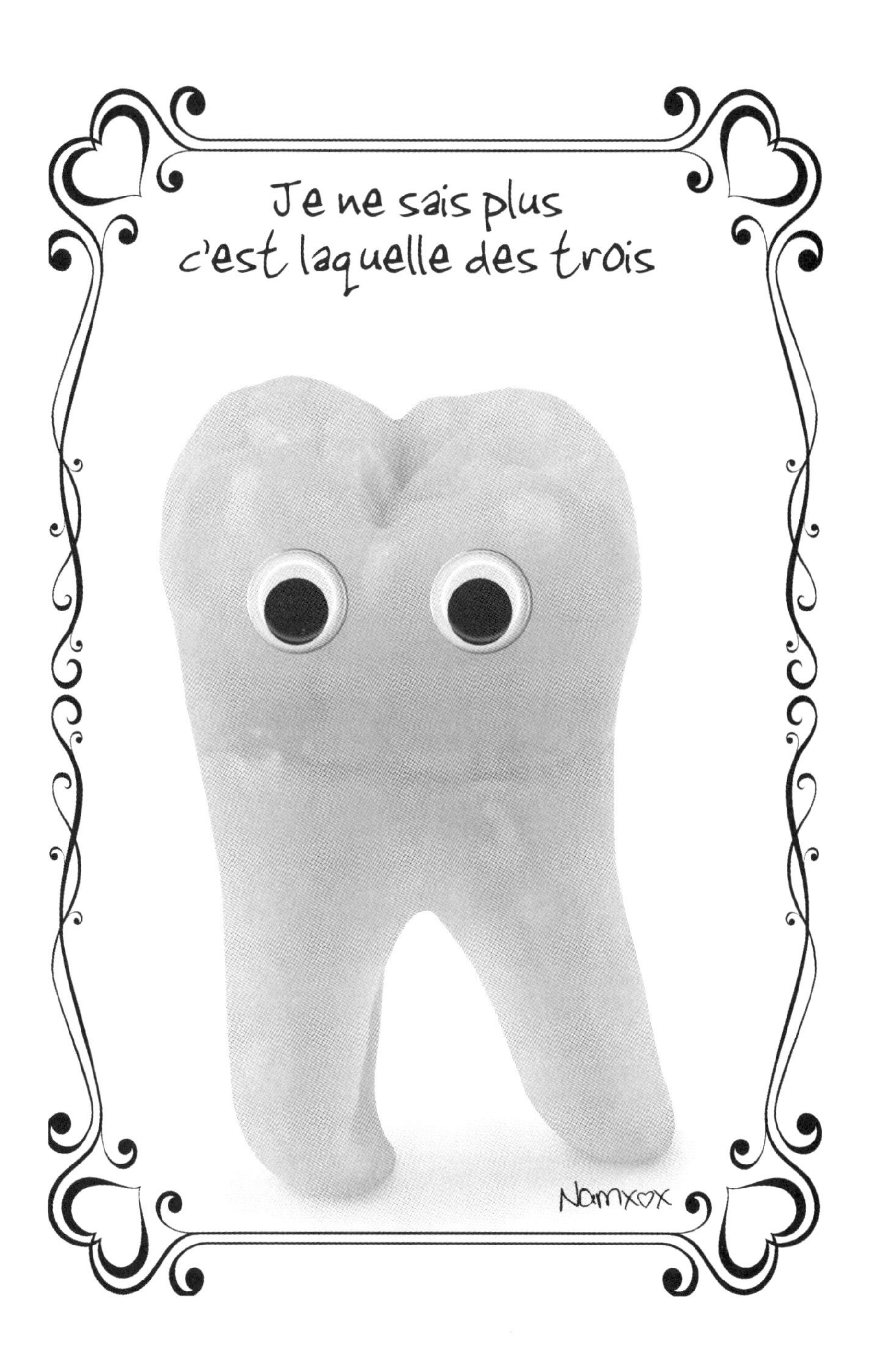
Je ne sais plus
c'est laquelle des trois
Namxox

Publié le 10 février à 16 h 40
Humeur : surprise

> Mes dents sont les plus belles du monde

Je n'en ai pas parlé hier parce que j'étais encore probablement sous l'effet du gaz hilarant, mais je me suis fait trois nouvelles amies hier.

En fait, elles m'ont accompagnée pendant des années, silencieuses, sans que je m'en rende vraiment compte.

Elles ne se sont jamais plaintes de leur sort et elles ont travaillé d'arrache-pied pour faciliter ma digestion et empêcher que je m'étouffe avec ma nourriture.

Je parle bien entendu de Pépère I, la première prémolaire, Pépère II, l'autre première prémolaire, et Social-révolutionnaire, la molaire.

Je ne m'attendais pas à ce qu'elles ressemblent à *ça*.

Ce qu'on voit quand on ouvre la bouche, c'est un tiers de la dent. Le reste, les racines, est planté bien profondément dans la gencive.

Ça leur fait comme des jambes disproportionnées. Il y en a une qui en a même trois, comme si ce n'était déjà pas assez bizarre.

Quand on est petit, les dents qui tombent sont mignonnes, on a le goût de leur gratter le ventre pour leur faire des guiliguilis.

(Traumatisme de mon enfance : la première dent que j'ai perdue, c'est Fred qui me l'a arrachée. Il l'a attachée à la queue de mon pauvre Youki d'amouuur et lui a fait peur en criant comme un malade pour qu'il décampe. Réaction du chien : il voulait juste manger la corde. Il a fallu que Fred le lance sur un lit pour que ma dent s'arrache. Ri-di-cu-le.)

Les dents d'adultes, ce sont des *freaks* de la nature en comparaison avec les premières dents.

Pas pour rien que la fée des dents ne veut rien savoir d'elles ; elles sont affreuses.

Je le sais, je me suis essayée. Je les ai mises sous mon oreiller, dans l'espoir d'obtenir au moins cinq dollars pour chacune d'elles, croyant que plus elles étaient grosses, plus la fée des dents était généreuse.

En me réveillant, j'ai glissé ma main sous mon oreiller et j'y ai trouvé un message écrit d'une main insultée : « Je ne veux rien savoir de tes horreurs. Tu t'essaies de nouveau et pendant que tu dors, je te dessine un CENSURÉ dans le front avec une encre magique que tous les autres vont pouvoir voir, sauf toi. »

Brutal ! 😲

Me dessiner un CENSURÉ dans le front, c'est pas un peu exagéré ?

Je comprends que mise à part une sculpture postmoderne exposée dans un musée postmoderne, elle ne peut rien en faire, mais ce n'est pas une raison pour être si bête avec moi.

Une vraie biche, cette fée des dents!

Sentant que Pépère I, Pépère II et Social-révolutionnaire avaient été vexées, j'ai décidé de les apporter à l'école.

Quand je les ai montrées à Kim à l'arrêt d'autobus, elle les a trouvées «repoussantes, à la limite du tolérable».

- Ce sont mes dents! Tu en as d'identiques dans la bouche. Il faut qu'on sache à quoi elles ressemblent, il faut éduquer la population.

- J'ai un intestin, et toi aussi, et si je m'en fais retirer un mètre comme ma mère, je ne vais pas le trimballer autour de mon cou pour éduquer la population.

Kim avait un bon point.

Afin de leur donner une chance de recevoir de l'amour, j'ai dessiné des yeux à mes dents avec un crayon noir permanent à pointe fine. Et je leur ai ajouté des cheveux provenant directement de mes aisselles.

(Mais nooon, je niaise, c'était mes poils de poitrine.)

J'ai remontré mes dents à Kim, mais avec leur nouveau style. Verdict: «Elles sont répugnantes, à la limite de la cruauté.»

J'ai décidé de les garder pour moi pour ne pas que ma réputation, déjà amochée, soit désintégrée pour toujours.

- Namasté? C'est pas la fille qui se promène avec des dents qu'on lui a arrachées et sur lesquelles elle a dessiné des yeux et collé des poils poitrinaires, et qui demande aux passants de les caresser pour montrer qu'elles ne sont pas dangereuses ?

Non, merci.

Attention : je n'abandonne pas mon projet de sensibilisation de la prémolaire et de la molaire.

Pas du tout.

Je ne suis pas une lâcheuse.

Je le reporte, c'est tout.

Pendant ce temps, j'ai chargé Pépère I, Pépère II et Social-révolutionnaire de veiller sur moi la nuit, question d'empêcher la fée des dents, si elle revient sur sa décision, de me tracer quand même un CENSURÉ sur le front.

(...)

J'avais oublié que j'avais créé une adresse courriel pour le journal étudiant. Je me suis branchée au compte et il y avait plus de trente messages !

Des félicitations, deux critiques (pour les photos de Fred et du Roi des Réglisses noires en déshabillé – paraît que c'est « inapproprié » ; hum, effectivement, ce l'est !), trois demandes de conseils pour la chronique courrier du lecteur « Namasté et les capotés » (des vraies demandes de conseils !) et un courriel touchant.

Les trois demandes de conseils portent sur la zo'na. (« Fille désespérée » capote parce qu'elle est tannée d'être dans la zo'na de son « meilleur ami », « Amoureuse » capote parce qu'elle vient d'apprendre que le gars sur lequel elle *tripe* est gai, et « Isa » capote parce que sa mère ne veut pas qu'elle s'épile parce qu'elle trouve qu'elle est trop jeune [13 ans].)

Ces trois filles ont demandé de garder l'anonymat, évidemment, et il n'est pas question que je dévoile leur identité.

Je vais leur répondre sérieusement, au meilleur de ma connaissance.

Je ne pensais jamais, JAMAIS, que des gens allaient me faire confiance pour les conseiller.

Je suis peut-être un puits de sagesse, mais mettons que pour l'instant, il est à sec.

À Fille désespérée, qui ajoute dans son courriel qu'elle sent que son pseudo-meilleur ami profite de sa vulnérabilité pour l'exploiter (faire ses devoirs, entre autres), je vais conseiller de lâcher prise. Elle dit qu'elle lui obéit parce qu'elle a peur de le perdre. Aime-toi assez, Fille désespérée, pour mettre fin à l'abus. Si c'était véritablement ton meilleur ami, comme il le dit, il ne te traiterait pas comme une pelure de banane toute noire et toute sèche.

(Parlant de banane, qui est engagé pour les courber? Il faut avoir de véritables doigts de fée pour ne pas les casser. Vous, employés mystères, je me prosterne devant vous en reconnaissant votre patience et votre savoir-faire.)

À Amoureuse, je vais aussi conseiller de passer à autre chose. Si son ami est gai, rien ne le fera changer de clan, pas même un sort, une potion magique ou un coup de marteau en plein milieu du front. C'est une relation impossible et c'est bien dommage. Fais ton deuil, Amoureuse. Et si c'est trop pénible de continuer à le fréquenter, éloigne-toi le temps de guérir ta blessure. Si ton ami a le cœur à la bonne place, il va comprendre.

(Parlant d'homosexualité, j'ai appris que des escrocs, moyennant une jolie somme d'argent [évidemment], promettent de «guérir» les gais. Comme si c'était une maladie! Un mec à la télévision a dit que de tomber amoureux d'une personne du même sexe est une «mauvaise habitude» qu'on peut abandonner. C'est *nawak*! Si je n'ai pas décidé d'être hétéro, les homos et les bis n'ont certainement pas fait le choix de l'être.)

Quant à Isa, je vais lui recommander de parler à sa mère et de lui dire comment on se sent quand on la pointe du doigt parce que ses jambes/aisselles ne sont pas rasées. Dans différents pays, même si pour certains cela peut paraître inconcevable, les femmes ne rasent pas leurs poils. C'est culturel. Ici, la norme, c'est de s'épiler. Certaines filles se rebellent et, pour provoquer (ou simplement parce qu'elles s'en foutent), elles font la grève du rasage. L'important est de se sentir bien dans sa peau. Isa, peut-être que ta mère trouve difficile de te voir vieillir. Peut-être que pour elle, se raser n'est pas important. Parle-lui de tes sentiments, sans te fâcher. Elle va lentement se faire à l'idée que tu deviens femme et que certains choix liés à ton corps t'appartiennent.

(…)

Je viens de me relire et je trouve que je ne suis pas si pire.

Je ne sais pas comment j'ai fait, mais j'ai écrit zéro niaiserie.

Suis-je malade ?

Je dois être malade.

Je vais prendre ma température avec le thermomètre à cuisson (parce que je fais probablement beaucoup de fièvre) et je reviens (si je ne l'ai pas avalé ou si je n'ai pas explosé).

Y'é où, le party ?
Namxox

Publié le 10 février à 19 h 26
Humeur : interpelée

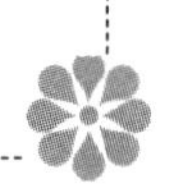

> **Une vie de *schnoute***

Pop était en état d'ébriété au souper.

Il n'arrêtait pas de parler, de faire des blagues poches, c'était gênant.

Il n'a pas dit de conneries, mais c'est juste que quand ça fait cent fois qu'on le voit comme ça, on se lasse.

Grand-papi est sorti de table avant d'avoir terminé son repas. Mom aussi.

Pop ne semblait pas comprendre ce qui se passait.

Va falloir que ça cesse, ça devient ridicule.

(...)

Samedi prochain, l'école organise une danse pour la Saint-Valentin. Elle est organisée par le Comité étudiant, dont la présidente est nulle autre que Kim, la-fille-qui-est-effrayée-par-mes-dents.

Par texto, elle vient de me demander de l'aider (on se regardait par nos fenêtres de chambre en même temps ; j'imagine que c'était trop compliqué de les ouvrir et de nous parler directement).

Kim : Yo, Fesses de fer !

Nam : J'aime ça quand tu m'appelles comme ça.

Kim : Ouais ! J'ai besoin de ton aide.

Nam: Si c'est encore pour déterrer un cadavre et lui planter un pieu en plein cœur pour s'assurer que ce n'est pas un vampire, c'est oui, je m'en viens tout de suite.

Kim: Nan, pas pendant l'hiver, le sol est gelé.

Nam: Alors pourquoi tu me déranges? Je suis une fille super occupée.

Kim: Ouais, c'est pour ça que tu dessines des yeux et colle des poils sur tes dents.

Nam: C'était pour leur estime de soi.

Kim: Tu savais qu'il y avait un projet de danse à l'école pour la Saint-Valentin?

Nam: C'est une question piège?

Kim: Arrête de niaiser. J'ai besoin d'aide. La direction ne veut plus l'organiser.

Nam: Pourquoi?

Kim: Elle dit que ça va mal tourner. Comme la dernière fois. Y'a une gang de gars sur Fesse-de-bouc qui a promis de semer la zizanie.

Nam: Semer la zizanie... C'est beau quand tu écris comme ça, c'est comme si tu me frottais les yeux avec des draps de satin.

Mouais... La dernière danse organisée par l'école, c'était il y a deux ans, pour l'Halloween. Y'a des gars d'une autre école qui sont entrés et qui ont transformé la cafétéria en zone sinistrée.

Ils ont renversé des tables, volé des rouleaux de papier hygiénique, arraché les trucs en U sur lesquels on pose nos foufounes sur la cuvette des toilettes (la lunette) et se sont promenés avec autour du cou (plutôt héroïque compte tenu du nombre de germes que ces objets contiennent), ont fait des graffitis d'amour avec de la sauce à poutine et y'a une moufette qui a fait irruption et, probablement excitée par la fête, elle s'est mise à projeter généreusement son abominable parfum.

À la cafétéria, il y en a qui disent que ça sent encore un peu. Moi, je dis que c'est un des concierges, celui qui fait semblant que son balai est un micro et qui imite un chanteur de *death metal* quand personne ne le regarde, mais bon, je n'insiste pas, je ne veux pas être celle qui brise les espoirs et les rêves.

Y en a aussi qui affirment que c'était une moufette téléguidée par un intrus, parce qu'à un moment donné, elle se serait mise à tourner sur elle-même en faisant des étincelles tout en projetant son ignoble jus.

J'aurais aimé être présente.

Bref, Kim aimerait que je trouve une idée GÉNIALE pour faire changer d'idée la direction de l'école, qui est persuadée que ça va mal se terminer.

Elle m'a fait comprendre que si je n'arrivais pas avec une solution ultra méga sensationnelle, j'allais être responsable de l'annulation de la danse.

Et, par ricochet, artisane de la tristesse de centaines d'adolescents et d'adolescentes qui, le soir de la Saint-Valentin, n'auront d'autre choix que de noyer leur désespoir en ingurgitant des litres (gulp!) d'eau très froide et ainsi provoquer une douloureuse *spheno-palatine ganglion névralgie* (c'est le nom du phénomène qui se produit quand on mange quelque chose de très froid et que ça nous monte au cerveau; pas besoin de me remercier pour ce mot savant que vous avez déjà oublié).

Tsé. C'est chien de la part de Kim de me mettre tant de pression.

Mais c'est ma *best*, je ne peux pas la laisser tomber. Elle m'appelle Fesses de fer, je ne peux rien lui refuser.

Et les défis, j'aime ça!

J'ai pensé ressortir la mascotte avec la carotte géante, mais pour faire quoi? Offrir aux amis de l'école de faire un tour dedans même si on a l'impression qu'avec l'odeur qu'il dégage, le costume se décompose? Ou de se faire prendre en photo avec lui dans des positions de yoga chaud? Tellement *winner*.

(J'ignore complètement ce qu'est le yoga chaud, sauf que si c'est comme le chocolat chaud, ça doit être issu de l'esprit maléfique du diable.)

C'est évident qu'avec une telle attraction («Pour la Saint-Valentin, venez toucher à la carotte géante d'une mascotte!»), il n'y a pas un crétin qui va venir faire du grabuge. Ça fait trop pitié. Il va se dire: «Mis à part des lapins qui vont essayer de croquer la carotte géante, y'a personne que ça va intéresser. Pour ne pas rendre la situation encore plus pénible qu'elle ne l'est pour ces pauvres organisatrices, je vais m'abstenir d'aller y mettre la pagaille. Qui plus est, j'ai peur des lapins. »

Donc, la mascotte et sa carotte, on oublie ça.

(Note toute personnelle : je viens de me relire et je constate que « venez toucher à la carotte géante d'une mascotte » peut porter à confusion parce qu'à double sens. Certaines personnes immatures ou exaltées pourraient croire qu'il s'agit d'une *vraie* carotte, un tubercule hypocotyle riche en carotène. Détrompez-vous, elle est faite de plastique. Espèce d'esprits mal tournés, vous n'en ratez pas une !)

Allez, imagination, fais-toi aller les hanches et danse le twist, il faut sauver la fête de la Saint-Valentin !

(...)

Le dernier message que j'ai reçu m'a fendu le cœur.

C'est une fille de vingt ans. Elle s'appelle Chloé et, depuis plus d'un an, elle souffre d'un cancer du cerveau. Les médecins ont prédit qu'il lui restait moins d'un an à vivre, si elle est chanceuse.

Elle m'a écrit pour me dire qu'elle a trouvé la dernière édition de l'*Écho des élèves desperados* très drôle et qu'il y a longtemps qu'elle n'avait pas ri de la sorte.

Je ne sais pas comment elle est tombée sur le lien ; probablement grâce aux médias sociaux. C'est pas important.

Évidemment, je compatis avec elle à deux cents kilomètres à l'heure ; je sais ce qu'elle vit, Mom souffre de la même maladie.

Je lui ai écrit pour la remercier et pour lui souhaiter bonne chance.

Pourquoi certaines personnes meurent si jeunes? Chloé a vingt ans, mais Mom m'a dit qu'elle a vu des enfants de trois, cinq, sept ans souffrir du cancer. Et en mourir.

Ça n'a aucun sens.

La vie est tellement injuste et cruelle, des fois. ☹

Souvent, même.

****

Cancer?

Vous êtes né entre le 22 juin et le 23 juillet? Cette annonce vous concerne. Nous sommes un regroupement de gens dont le signe astrologique est le Cancer et nous effectuons des interventions auprès du ministère de la Santé afin que le mot cancer ne soit plus associé à la multiplication de cellules anormales dans le corps humain. Cette maladie porte directement atteinte à la réputation des gens dont le signe astrologique est le Cancer. Le regroupement d'étoiles qui a inspiré notre nom existait bien avant qu'un scientifique étourdi ne décide de nous bafouer en baptisant une vilaine maladie avec le même nom que le nôtre. Joignez-vous à nous, c'est une question de dignité!

www.lhoroscopecesttellementvrai.com

****

Qu'est-ce qui s'est passé ?!
Namxox

Publié le 10 février à 21 h 54
Humeur : troublée

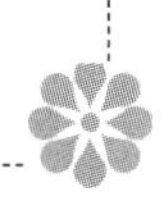

> **Pourquoi ?**

Mom dit que « quand on se compare, on se console ».

Il y a toujours quelqu'un qui a une vie plus misérable que soi.

J'ai réalisé que la mienne n'est pas facile : père alcoolique, mère cancéreuse et frère andouille, j'aurais plusieurs raisons de m'effondrer - selon Kim.

Mais il ne faut pas. Oui, on peut mettre une fois de temps en temps un genou par terre pour se reposer, mais faut se relever et continuer à marcher.

Et il faut soi-même donner un sens à nos souffrances parce que du sens, il n'y en a pas.

Chloé m'a réécrit. Elle m'a donné le lien de son blogue, où elle raconte sa vie.

Il y a aussi une photo d'elle : elle n'a plus de cheveux et de sourcils en raison des traitements agressifs de chimiothérapie.

C'est une belle fille, allumée et intelligente, qui a eu une vie misérable.

Née d'un père inconnu, elle a été abandonnée par sa mère à six ans dans un centre commercial (!). Elle a intégré une famille d'accueil où elle a été agressée sexuellement et physiquement à de multiples reprises par un enfant de la famille, un garçon de quatre ans son aîné.

Elle a eu un premier cancer à seize ans, a été en rémission, et son cancer est revenu en force à ses dix-huit ans.

Elle est seule - elle a dénoncé le garçon qui a abusé d'elle, mais personne ne l'a crue et sa famille d'accueil l'a rejetée - et elle vit dans un taudis. Elle souffre tous les jours d'énormes maux de tête qui la font saigner du nez et elle est faible.

Tu parles... Quand on se compare, effectivement, on se console ! ☹

Elle passe ses journées à l'hôpital ou devant la télévision ou sur Internet.

Elle attend la mort.

Eurk.

J'ai pleuré en lisant son histoire.

Je viens de lui envoyer un message dans lequel je lui dis que si je peux l'aider d'une quelconque manière, qu'elle me fasse signe.

Mom, c'est pénible ce qu'elle vit, mais elle n'est pas seule. On l'entoure du mieux qu'on le peut et je suis sûre que ça fait une différence.

Je crois que c'est ça, le summum de la tristesse : mourir seul.

Quand je pense que je me plains (parfois, souvent) pour des niaiseries, j'ai honte.

Je suis en santé, je n'ai aucune trouble mental (jusqu'à preuve du contraire), j'ai un toit au-dessus de ma tête, je suis jolie et j'ai des parents responsables (un peu moins Pop, mais j'ai espoir que ça va s'arranger). Que demander de mieux ?

Donc les matins où mes cheveux ne veulent pas collaborer ou lorsque je constate que Fred a mangé la boîte au complet de mes céréales préférées, faut que je me rappelle l'histoire de Chloé.

Ou de ces enfants qui travaillent dans des mines ou des usines.

Ou de ces pauvres du tiers-monde qui se nourrissent dans les dépotoirs. ☹

Je suis chanceuse.

(...)

Il n'y a eu aucune alerte monstre préhistorique *shootée* au nucléaire aujourd'hui.

Je m'attendais à ce que Godzilla veuille de nouveau m'attraper, mais compte tenu de ce qui s'est passé samedi dernier, elle a peut-être décidé de mettre la pédale douce.

Elle a peut-être conclu que j'étais protégée par les dieux ou quelque chose du genre.

Et elle m'a sûrement vue me battre et elle a eu peur.

Ou elle a entendu parler de mon exploit.

Dans certaines bourgades, je suis devenue une croque-mitaine.

Quand on mentionne mon nom, les gens frissonnent de terreur - à moins que ce ne soit l'air conditionné dans la pièce qui est tellement déchaîné qu'il crache un blizzard.

J'ai du mal à réaliser ce que je viens d'écrire : JE ME SUIS BATTUE.

Un combat sauvage où tous les coups étaient permis, y compris les coups de téléphone, les coups de foudre et les coups de soleil (hein ?).

Wolfie m'écrivait justement tantôt qu'il n'en revenait toujours pas que je sois sortie indemne de cet affrontement vicieux.

Bref, on a récupéré nos manteaux et on sacre notre camp.

On sort par la porte de côté parce qu'on a peur que la porte d'en avant nous mène directement dans un univers où on ne rencontrerait aucun zozo qui nous sortirait de notre zone de confort.

On contourne une fille qui fait la morale à ses amies parce qu'elles se dévergondent (elles se donnent des buzz en mordant dans des citrons) et qui leur rappelle qu'elles doivent rentrer dans « un peu moins » de trois heures et qu'il faut « commencer à se préparer ».

J'ai le goût de lui faire un nœud coulant dans la langue, mais je sens que je dois garder mes forces : les vibrations de l'atmosphère de la fête m'indiquent qu'il y aura bientôt affrontement.

Oui, j'ai cet instinct du guerrier qui est bien en selle sur son cheval, qui renifle l'air et qui détecte le sang à des kilomètres à la ronde (dans ce cas, c'était « la fille responsable » qui saignait du nez parce que personne ne l'écoutait).

Wolfie me tient par la main et m'entraîne dans cette mer d'invités saugrenus.

Nous entrons dans l'établi qui sert de zone tampon entre l'intérieur et l'extérieur jusqu'à ce que Valentine nous fasse face (ça se dit mal, mais ça s'écrit bien) avec, à ses côtés, Godzilla.

Valentine me pointe du doigt :

– C'est elle !

Ma réaction est de lever les bras en l'air (je ne sais pas pourquoi).

– Elle ? dit Godzilla. Tu veux que je batte une déficiente intellectuelle ?

(Rappel : lors de notre dernière rencontre, on était dans le local des Réglisses rouges, je me suis fait appeler Aglaé et je me suis mise à téter le lobe d'oreille et le doigt de Kim [« Popsicle à l'humaiiin ! »].)

J'ai baissé mon bras de quarante-cinq degrés, j'ai pointé l'homme-femme (ou la femme-homme, je fais encore des recherches sur l'évolution de l'être humain dans les encyclopédies) et j'ai dit :

– Toi ? Ça te piquait entre les deux jambes.

(Rappel : Kim a remis à Godzilla un tract sur les pellicules puisqu'il/elle s'est plaint(e) de démangeaisons entre les genoux et le nombril.)

– Ça me pique encore. Mais mes poils sont devenus si doux et lustrés que j'oublie de me gratter.

J'ai observé le plafond et, rêveuse, j'ai dit :

– Merci au shampoing à base de pyrithione de zinc.

Je suis revenue à moi :

– Cela dit, si les symptômes s'aggravent, je te conseille fortement une consultation médicale.

Valentine s'est interposée.

– *Ouatedephoque* ? C'est elle, l'ex de Mathieu. C'est elle à qui tu dois donner une leçon.

Godzilla a hésité, songeant probablement au bonheur que lui procure ses poils en santé (je suis « pubien » lorsque j'y pense, ah ! ah ! ah !) :

– Vraiment ?

– Oui, c'est elle ! Donne-lui la raclée de sa vie !

Valentine sonne comme une méchante dans un mauvais film pour ados. Elle est comme ça, Val.

Puisqu'il ne restait que le mec intoxiqué à rencontrer dans mon histoire, je m'attendais à ce qu'il apparaisse et dégobille sur le plancher, et à ce que Godzilla mette un pied dans le vomi et chute ; mais non, ça aurait été *trop simple* : il a plutôt expulsé sur le gars qui faisait une prestation de *break dancing* derrière moi.

Zut, on était à deux mètres près... La prochaine fois, peut-être.

(Je ne sais pas ce que ce gars-là avait mangé pour souper, mais ça a donné une couleur qui inspirait la gaieté et la joie de vivre, une couleur propice aux pièces où il fait bon vivre et à la réflexion. Si je recroise ce gars, je lui dirai que la prochaine fois que je peindrai les murs de ma chambre, c'est exactement cette couleur que je veux, pas un ton de plus, mais un ton de moins.)

J'ai vu Godzilla réaliser que je l'avais berné(e) en feignant de posséder les capacités intellectuelles d'un garçon.

Son visage se métamorphose sous mes yeux : ses traits se durcissent et ses narines frétillent de colère.

La lèvre supérieure de Godzilla se relève. Elle exhibe des dents (rien d'autre à dire à leur sujet ; des dents, ce sont des dents).

Godzilla fait un pas vers moi et c'est à ce moment que mes souvenirs deviennent vagues.

Des coups chargés de hargne sont échangés.

Le combat est brutal.

Les chairs se heurtent.

La douleur est cinglante.

Le sang gicle dru, comme si une roue de camion écrasait une bouteille de ketchup.

Il y a des hurlements.

Des os brisés.

Des cerveaux brutalisés dans leur boîte crânienne.

Et soudainement, je me retrouve à l'extérieur.

Le froid est mordant.

En courant en direction de l'automobile du père de Wolfie, qui me tient par la main, je dis :

– Je me suis battue !

– Oui, je sais, répond Wolfie.

La vision de mon œil droit est soudainement trouble.

Je m'arrête.

– Qu'est-ce qui se passe ? demande Wolfie.

– Mon œil... Je crois qu'il y a du sang dedans.

Wolfie l'observe.

– De quel sang tu parles ? C'est une couette de cheveux.

Il la repousse et, comme par magie, je vois mieux.

Wolfie me tire de nouveau vers lui.

– Allez, viens.

Je tourne la tête et regarde derrière moi.

– On nous pourchasse encore ?

– On ne nous pourchasse pas.

– Pourquoi on court ? Notre intégrité physique est en jeu, non ?

– On ne court pas pour sauver notre vie, on court parce que j'ai *frette* ! Et j'ai un peu honte.

J'ai voulu le rassurer :

– Voyons, Wolfie, tu n'as pas à avoir honte. Il fait moins vingt-cinq, moins trente-cinq avec le facteur vent, c'est normal d'avoir froid.

– Je n'ai pas honte de ça, Nam. T'étais où dans les dernières minutes ?

– Dans un autre état, Wolfie. Je ne sais pas comment interpréter la situation, mais c'était comme si j'avais atteint un niveau supérieur de conscience. Comme si j'étais un moine bouddhiste. Je me suis battue, *man*. Battue !

Je suis alors frappée de stupeur.

– Et si je l'avais tué ? Et si j'avais atteint sa tempe ou sa gorge avec mon poing fulgurant ?

– Inquiète-toi pas, il était déjà mort.

– Quoi ? Godzilla est un mort-vivant ? Je comprends pourquoi le grain de sa peau est si épais et irrégulier.

Wolfie s'est arrêté et a planté son regard dans le mien.

– Nam, tu t'es battue avec le porte-manteau.

– Quoi ?

– Et c'est lui qui a gagné. Si je n'étais pas intervenu, ta bouche serait encore coincée dans un des crochets, comme un hameçon sur un poisson.

– Oh... Et, euh, Godzilla ?

– Ça s'est chicané avec Valentine.

– Ça ?

– Ouais, je ne sais pas trop comment l'appeler. « Ça » est ce qui se rapproche le plus de cet être humain.

Nous avons continué à marcher.

– Bien vu. Donc il y a eu une dispute ?

– « Ça » a pété les plombs. « Ça » a dit à sa cousine qu'il n'était pas question de battre une handicapée mentale, ce que tu es visiblement puisque tu t'en es prise violemment à un porte-manteau qui ne t'a jamais rien fait.

- Hum !

- T'es vraiment la personne la plus cinglée que je connaisse. Et j'adore.

Il y a eu un moment flottant où j'ai cru qu'il allait m'embrasser, mais j'ai vite reposé les pieds sur le trottoir glacé quand j'ai entendu son feu sauvage se plaindre du grand froid et du prix exorbitant de l'encre pour les imprimantes à jet, beaucoup plus cher que l'essence, jusqu'à 2 500 fois plus, ce qui est absurde.

Il a un point, ce feu sauvage. 🙁

****

Comment imprimer à petit prix

Las de devoir payer des prix exorbitants pour des cartouches d'encre? L'encre d'un stylo coûte 64 dollars le litre tandis que celui d'une cartouche, 3 250 dollars le litre. Nos ingénieurs ont fait 1+1 et ont trouvé la solution à votre problème. En achetant notre logiciel, vous pourrez économiser des milliers de dollars en frais d'encre pour votre imprimante ! Une fois l'application téléchargée, les pilotes montreront à votre imprimante comment utiliser un stylo à encre. Fallait y penser !

www.peutpasencoreecrireenlettresattachees.com

****

Publié le 11 février à 11 h 52
Humeur : terrifiée

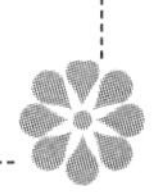

> **Couchée trop tard**

Ouais, je me suis réfugiée dans les draps trop froids de mon lit à minuit et demi et j'ai passé l'heure suivante à penser à Chloé et à son cancer du cerveau.

La pauvre, elle est seule. Ça m'angoisse !

Puis, inévitablement, j'ai songé à Mom.

Avant de dormir, elle racontait à sa sœur au téléphone qu'elle allait devoir bientôt utiliser une marchette parce que si elle tombe, ses os sont si fragiles qu'ils pourraient se fracturer instantanément. :(

Et ça ne guérira jamais, parce que son corps n'a plus de ressources.

Elle a commandé un lit d'hôpital qu'on va installer au salon.

J'ai tellement peur.

Je ne veux pas la perdre.

Je suis super angoissée, j'ai mal au cœur et je n'arrête pas de penser à son décès.

À l'école, entre la première et la deuxième période, je me suis réfugiée dans une des cabines de la toilette pour pleurer.

Kim et Geneviève m'ont consolée, elles ont été extra gentilles, comme d'habitude.

Elles m'ont dit qu'elles allaient être là pour moi.

Reste que j'ai la chienne. ☹

Je vois ce qui s'en vient et je ne veux pas traverser cette épreuve.

Je voudrais que quelqu'un d'autre le fasse à ma place.

Je voudrais m'endormir et me réveiller uniquement quand ça va être terminé.

Je suis fatiguée. Je sais que lorsque je n'ai pas beaucoup dormi, j'ai moins de résistance aux idées sombres.

Je deviens macabre.

J'imagine les dernières heures de Mom, ce qui va se passer.

J'ai lu des témoignages et, en théorie, pour soulager ses souffrances, elle va recevoir des doses massives d'antidouleur, ce qui devrait la plonger dans une espèce de coma.

Certains meurent des heures plus tard. D'autres des jours.

C'est une longue agonie, le foutu cancer. Il se répand jusqu'à ce qu'il étouffe sa victime.

Non seulement il tue, mais il humilie, il détruit à petit feu.

C'est horrible ce que je vais écrire, je le sais, mais je ne peux m'empêcher de penser que ce serait moins pénible si elle mourait en voiture ou dans un accident bête.

Tout irait vite. Comme avec Zak: il est mort, j'ai pleuré, il y a eu ses funérailles, j'ai pleuré, on l'a enterré, j'ai pleuré et c'est tout. J'ai versé encore beaucoup de larmes, mais chaque fois, c'était moins pire. Je me faisais lentement à l'idée qu'il était décédé.

Une année plus tard, je peux songer à lui sans m'effondrer.

Je me suis habituée.

Avec Mom, je ne peux pas commencer le travail de deuil parce qu'il y a une partie de moi que je ne contrôle pas et qui croit dur comme fer qu'elle ne va pas mourir, qu'elle va vaincre son cancer et vivre jusqu'à quatre-vingt-cinq ans, assez longtemps en tout cas pour me voir terminer mon secondaire, mon cégep et mon université, assez longtemps pour assister à mon mariage grandiose et assez longtemps pour rencontrer mes enfants.

Je *sais* que ce ne sera pas possible et je ne l'accepte pas, ce qui fait que j'entretiens encore le fantasme de la guérison. C'est plus fort que moi. ☹

Le pire, c'est quand je me couche et que j'éteins la lumière.

Je suis seule avec moi-même, je n'ai rien pour occuper mon esprit.

Alors je pense.

Et de l'imagination, j'en ai.

Des fois, ça me sert. D'autres fois, ça me dessert.

J'ai des pensées macabres.

Genre à quoi va ressembler Mom dans son cercueil. Comment je vais réagir quand je vais la voir. Est-ce que je vais pouvoir la toucher?

Et elle ira où, Mom? Après la mort, est-ce que notre âme survit? Est-ce que Mom va pouvoir me regarder?

Si oui, c'est rassurant et vraiment épeurant.

Rassurant parce que même si son corps physique n'est plus là, son âme aura survécu et elle pourra constater de visu à quel point je fais des efforts dans la vie pour parvenir à mes fins.

Vraiment épeurant parce que, tsé, est-ce qu'elle va me regarder quand je vais être à la salle de bain? Quand je vais m'épiler à des endroits saugrenus? Quand je vais être seule avec mon amoureux? Et, pire encore, quand je vais avoir du plaisir à regarder à la télévision des émissions poches de téléréalité?

Ewww. 😳

Logiquement, s'il n'y avait rien avant ma naissance, si je n'ai aucun souvenir, il n'y a rien après ma mort, non?

Je dois arrêter de ressasser toutes ces idées funestes.

J'ai besoin d'aide. Je vais devenir folle.

Z'ont pas besoin de ça
pour effrayer les oiseaux
Namxox

Publié le 11 février à 19 h 07
Humeur: meilleure

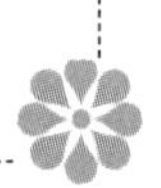

> ***Save Our Souls***

Ouf... Quelle mauvaise journée.

Mais je vais beaucoup mieux que cet après-midi.

Après l'heure du dîner, Kim m'a regardée et, pour me remonter le moral j'imagine, elle m'a dit que j'avais l'air d'« un pâté chinois resté trop longtemps dans le micro-ondes ».

– Je suis crevée, j'ai dit. Et déprimée. Et j'ai mal au cœur.

– Retourne à la maison et va te coucher.

– Non, je vais siester après l'école.

– Sans *joke*, Nam, tu serais mieux à la maison. T'as vraiment pas l'air de bien *feeler*.

Je n'ai offert aucune résistance, j'ai entériné la suggestion de Kim.

J'allais prendre l'autobus, mais juste l'idée de marcher jusqu'à l'arrêt me donnait le vertige. 😐

J'ai appelé à la maison et Grand-papi est venu me chercher.

Quand je suis entrée dans son auto, il a vu que je ne me sentais pas bien. J'ai éclaté en sanglots et, pendant tout le voyage, il a caressé mon genou.

Il savait qu'il ne pouvait rien dire qui me guérirait de mon mal de vivre.

À la maison, quand j'ai vu Mom, je me suis précipitée dans ses bras.

– Je ne veux pas te perdre. Je ne *peux pas* te perdre.

Je me suis traînée jusqu'à mon lit et je me suis endormie alors que Mom caressait mes cheveux, comme lorsque j'étais petite et que je faisais des cauchemars.

Je me suis réveillée à dix-huit heures trente. Dormir m'a fait beaucoup de bien.

Mom m'a dit qu'elle avait trouvé une personne qui pouvait m'aider, une psychologue super gentille qu'elle a connue à l'hôpital et qui était prête à me recevoir.

Elle va m'appeler ce soir pour qu'on jase un peu.

On verra si je connecte avec elle. J'adorais ma dernière psy, mais cinq cents kilomètres, ça fait pas mal loin pour une consultation de quarante-cinq minutes, à raison d'une fois par semaine.

Et ce, même si je m'y rends en ski de fond.

Gnac, gnac, gnac...

Je suis pas mal moins déprimée.

Tantôt, c'est fou, je voyais tout en noir.

Le mal de cœur est passé (je déteste avoir la nausée) et je suis en forme.

J'ai même eu une idée FORMIDABLE pour la danse de samedi soir!

Cinq mots: mort, meurtre, fantômes et amoureux jaloux.

Mais nooon. Ah ! Ah !

Le but ultime est que monsieur M. ne puisse pas nous dire non. Il faut qu'il n'ait que deux réponses : oui et oui.

J'ai pensé lui faire du chantage - genre : si la danse n'a pas lieu, tous les élèves de l'école vont subitement prendre soin de leur corps et ingurgiter des aliments sains, ce qui signifie que le resto de la cafétéria fera faillite, que ça va devenir une mode mondiale et entraîner la chute de l'industrie de la bouffe rapide et, par conséquent, du capitalisme - mais non, ce serait genre *trop* facile.

Et j'aime ça, moi, la poutine.

Miam miam le fromage en grain gras qui crisse entre mes dents.

Miam miam le jus brun, salé et gras.

Miam miam le bâtonnet de pomme de terre qui a barboté dans une piscine de graisses animales fondues.

MIAM MIAM ! Le plancher de danse est ma langue et les danseuses qui se déhanchent diaboliquement sont mes papilles gustatives !

Parce que l'époque où j'alimentais (ah ! ah !) un blogue de haute gastronomie est révolue, voici mon idée malade mentale pour sauver la danse de la Saint-Valentin :

Certaines personnes amassent de l'argent pour la recherche sur le cancer en se faisant raser les cheveux. On se fait commanditer par des proches et tout l'argent ramassé est versé à un organisme.

C'est un super beau geste, et très courageux pour une fille parce qu'on sait tous que la relation qu'entretient une fille avec ses cheveux, c'est comme une piscine : c'est beaucoup d'efforts que personne ne remarque jusqu'à ce qu'on la néglige et qu'on trouve un écureuil mort noyé dans l'eau.

(« Comparaison déplacée. Élève Namasté, venez me voir après le cours, nous devons discuter. »)

Mes cheveux et moi, c'est une relation tordue faite d'amour, de haine et de revitalisant trop cher. Mais pour rien au monde je ne m'en débarrasserais.

Je le répète : les filles qui se débarrassent de leurs cheveux en échange d'un montant versé à la recherche sur le cancer, c'est héroïque. Mais je ne pourrais pas me résoudre à le faire.

Je laisse pousser mes cheveux depuis que Mom a eu la brillante idée en troisième année du primaire de me faire une « coupe garçonne ».

Bravo, Mom, pendant six mois, on me regardait avec des yeux méchants quand j'entrais dans les toilettes pour femmes des lieux publics.

Fallait que je leur crie « Moi aussi je m'assois pour faire pipi et je m'essuie de l'avant vers l'arrière ! » pour que ces femmes doutant de mon identité sexuelle cessent de me pointer du doigt.

Je ne peux pas me raser la tête, ça fait plus de cinq ans que je travaille tous les jours pour que mes cheveux poussent. C'est vrai ! Je prends cinq minutes pour forcer comme une malade, avec le visage mauve et la grimace et tout et tout, afin d'accélérer le processus de la pousse de mes cheveux. (Je me suis rendu compte que ça avait également un effet sur mes sourcils et les poils de mes aisselles.)

Quand on y pense, un cheveu, c'est un follicule qui expulse des cellules mortes. J'ai plus de cent mille cadavres sur la tête !

Et ce sont des zombies ! Parce que les jours où j'ai les cheveux en pétard, les matins lors desquels je me bats pendant DES HEURES avec eux pour les mater, ils sont clairement vivants et ont décidé de me faire suer. La raison est mystérieuse. Parce que j'ai porté une tuque le jour d'avant ? Parce que je les ai brossés avec trop de vigueur ? Ou parce que j'ai porté une barrette vraiment laide ?

Pour les filles, les cheveux, c'est un objet de séduction.

Pour les gars, c'est un truc qu'on doit laver une fois par mois, sinon le sébum coule sur leur visage, les aveugle et se rend dans leur bouche. Ils y goûtent et s'exclament : « Délicieux, ce gras sécrété par mes glandes sébacées ! »

Soyons sérieux... Des épis de maïs pourraient pousser sur la tête des gars que ça ne changerait rien, à part qu'il faudrait qu'ils fassent attention au soleil pour pas que le tout se transforme en popcorn.

Et faudrait aussi qu'ils portent un épouvantail pour éloigner les oiseaux.

Yeah, funky et jazzy !

Trêve de circonvolutions (wow, j'ai écrit ce mot sans savoir qu'il existait vraiment), voici mon idée *full* méga géniale...

(...)

Téléphone!

Tu y touches,
je te mords
Namxox

Publié le 11 février à 21 h 57
Humeur : optimiste

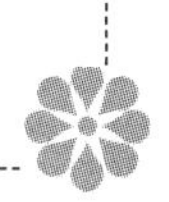

> Mon âme est sauve !

Je viens de discuter une demi-heure avec la psychologue que Mom a rencontrée à l'hôpital et elle et moi, on a vraiment connecté !

Elle s'appelle Alice Rose, elle a une trentaine d'années et, tout de suite, elle a compris ce que je vivais. Sa compassion m'a immédiatement redonné de l'énergie pour penser de manière plus positive.

Mom est encore vivante, je dois passer des moments de qualité avec elle. Elle a besoin de moi, j'ai besoin d'elle, on va s'entraider.

Mom et moi, on va aller au bout de notre relation.

Un pas à la fois.

Un jour à la fois.

Quand j'anticipe, l'angoisse s'accumule au point que j'ai de la difficulté à respirer et que je veux vomir ma vie.

C'est inutile et ça me fait ressentir plusieurs fois l'anxiété que je ne devrais subir qu'une fois, lorsque les évènements surviennent.

Ma psy sait que j'ai écrit un roman, elle trouve ça formidable, mais ça lui indique également que j'ai énormément d'imagination, ce qui peut me jouer de vilains tours. Ça, je le savais, mais elle a tout de même confirmé que je devais la tenir en laisse pour l'empêcher d'aller renifler les terrains avoisinants (je parle de mon imagination, pas de la psy, *deuh* !).

On va se rencontrer à son bureau cette semaine ou la semaine prochaine, selon mon horaire chargé.

Je me sens tellement mieux ! 

(...)

Faut pas que je me couche tard, je ne veux pas avoir le moral dans les talons demain.

Bref, mon idée pour la danse de la Saint-Valentin est qu'on va amasser de l'argent pour la cause du cancer. Comment ? En se faisant commanditer par nos proches.

Voici la particularité : au lieu de se faire raser les cheveux, on va porter un bonnet de bain !

Et il va y avoir des prix pour les plus originaux !

Chaque personne qui veut faire partie de la fête devra en porter un. Hé, hé, hé...

Donc s'il y a des crétins qui font les fous et qui mettent le feu, on aura déjà nos bonnets de bain avec nous ! Ainsi, les cheveux des invités ne bloqueront pas les, euh, filtreurs... ?

Je n'ai rien écrit, d'accord ? 

J'en ai parlé à Kim et elle trouve que c'est une idée *weird*, mais que ça pourrait marcher.

Trois problèmes à l'horizon :

1) Il reste peu de temps pour convaincre les élèves que c'est une bonne idée – les casques de bain, c'est

un peu humiliant, même si c'est pour simuler une chute de cheveux liée à la chimiothérapie et si c'est pour faire le bien;

2) Il reste peu de temps pour trouver des commandites auprès de nos proches;

3) Il risque d'y avoir une pénurie de bonnets de bain dans les magasins, ce qui va provoquer une crise auprès des hordes de personnes âgées qui commencent un cours d'aquaforme (elles portent des casques de bain, mais ne mettent jamais leur tête dans l'eau, pourquoi?), ce qui va générer un marché clandestin et faire augmenter le prix des bonnets. Les personnes âgées vont devenir mesquines et il va y avoir des morts. Oui, des morts.

Il faut essayer!

Kim va laisser un message sur sa page Fesse-de-bouc, on va voir les réactions.

On se croise les doigts.

Qui sait, on va peut-être tellement amasser d'argent qu'on va trouver une solution au cancer et guérir Mom?

Vive les casques de bain!

Un ukulélé et son joufflu
Namxox

Publié le 12 février à 12 h 05
Humeur : écorchée

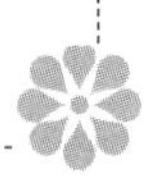

> **Ouch**

Bonne nouvelle : monsieur M. trouve mon idée pour la danse de samedi « intéressante » (il n'a pas voulu me blesser en me révélant le fond de sa pensée : il trouve ça débile). Même s'il pense qu'on s'y prend trop tard, il a accepté.

Mauvaise nouvelle : les commentaires sont épouvantables. Entre le moment où je me suis couchée hier soir et ce midi, je trouvais que j'avais eu l'idée du siècle (avec le jeu de minigolf dont on se sert quand on est assis sur la toilette, bien entendu).

Sauf que mon idée se fait complètement détruire par plusieurs de mes congénères. Est-ce qu'ils savent qu'il y a un être humain sensible derrière mon projet ? Ils réagissent comme si j'avais dit que ce serait bien que, samedi prochain, on entre dans l'école pour repeindre les murs, cirer les planchers et ajouter ici et là des vaporisateurs automatiques de vanille cancérigène afin de procurer aux professeurs un environnement qui facilite la circulation de l'énergie et l'équilibre des forces.

« Complètement con », « Vraiment stupide », « C't'une *joke* ?!?! » et autres « Samedi j'ai quelque chose de plus passionnant à faire, genre me projeter de l'eau de Javel dans les yeux » parsèment la section « commentaires » du message initial.

J'ai même senti Kim vaciller.

Je pense que je vais être seule à la danse. En casque de bain, en plus, ça va être super bon pour mon estime de soi.

Est-ce que je vais abandonner aussi facilement? Non.

Je suis orgueilleuse. Pas question d'admettre que je me suis trompée.

Je me laisse l'après-midi pour y penser.

Si je n'arrive à rien, je dirai que la danse de la Saint-Valentin est annulée à cause de Fred, même s'il n'a aucun rapport avec cette histoire.

(...)

Chloé m'a réécrit.

Quelle force de caractère elle a, cette fille.

Je l'envie.

Pour sa force de caractère, pas pour son cancer du cerveau, on s'entend. Gnac, gnac, gnac...

Elle m'a appris qu'elle était une ancienne élève de l'école. Elle l'a fréquentée il y a sept ou huit ans, c'est pour ça qu'elle s'est intéressée à l'*ÉDÉD*.

Je ne sais pas ce que je ferais s'il me restait moins de six mois à vivre.

J'ai demandé à Chloé si la mort lui faisait peur et s'il y a des choses qu'elle aimerait accomplir avant le jour fatidique.

En anglais, il y a une expression, *bucket list*, qui invite à noter les choses qu'on veut accomplir avant notre mort.

C'est bien beau de vouloir aller faire du trampoline sur la lune (à cause de la gravité moindre, un seul saut dure deux heures) ou de faire du monocycle sur les anneaux de Saturne (c'est un spécial astronomie, ou quoi ?), il faut avoir les moyens ou il faut que ce soit réalisable.

Pas question pour moi de faire une liste comme celle-là – il me reste théoriquement soixante-dix ans à vivre, j'aurai amplement le temps de m'y mettre un jour –, mais mettons que s'il me restait peu de temps dans cette dimension, voici ce que je me permettrais de faire (à noter que, parce qu'on est sur le point de mourir, je me dis qu'on peut TOUT se faire pardonner, hé, hé, hé) :

❁ Marcher sur le capot des autos qui ne respectent pas les lignes d'arrêt et qui dépassent dans le corridor réservé aux piétons à un feu de circulation ;

❁ Appeler au service à la clientèle de la compagnie de mon téléphone cellulaire et demander au représentant s'il est satisfait de moi comme cliente et si je peux faire quelque chose pour améliorer son expérience ;

❁ Me laver dans une fontaine de centre commercial ;

❁ Une fois que je suis propre, offrir aux passants de les baptiser gratuitement ;

❁ Quand j'ai converti tous les passants à ma religion, les Apôtres de la réglisse rouge, verser une bouteille complète de liquide à bulles et tenter de gravir la montagne de mousse en yodlant (Yodlayeeeeooo !) ;

❁ Nager dans un des super gros aquariums d'une animalerie avec un tuba, des lunettes de plongée et des palmes, et observer l'air hébété des clients (et des poissons, il va sans dire);

- Courir sur un terrain de pétanque avec tuba, lunettes de plongée et palmes en criant quelque chose d'incompréhensible, disparaître, revenir sur place quelques instants plus tard après m'être très mal cachée derrière une poubelle et demander aux joueurs si je peux me joindre à eux en faisant comme s'il ne s'était rien passé;

- Trouver Nessie, le monstre du Loch Ness, lui mettre un masque de cheval, prendre une photo et révéler au monde entier que, dans le fond, ce qu'on a pris pendant des centaines d'années pour un plésiosaure perdu d'aplomb n'est en fait qu'un cheval de mer géant;

- Pointer du doigt un chameau et le traiter de dromadaire et vice-versa (crise d'identité en vue);

- Dans un endroit public, jouer du ukulélé pour amasser de l'argent alors que je n'ai jamais touché à cet instrument de ma vie, et quand les passants se mettent à saigner des oreilles, les faire sentir coupables en leur demandant s'ils ont quelque chose contre les guitares naines.

Hum... Dans le fond, c'est une bonne chose que je sois en santé. 😆

(...)

Faut que je demande à Mom s'il y a quelque chose qu'elle aimerait accomplir avant de passer dans une autre dimension.

(...)

Je viens de lui envoyer un texto et elle m'a répondu qu'elle allait y penser. Puis, dix secondes plus tard, elle m'a réécrit pour me dire que ce qu'elle voulait accomplir, elle l'a fait avec moi, sa fille.

Ah, téteuse ! Mais mignon tout plein.

(...)

Dans les forums sur Internet, beaucoup de personnes malades répètent qu'il faut vivre sa vie comme si chaque journée était la dernière.

Facile à dire.

À ce rythme, n'importe quel humain normalement constitué (donc pas moi) va *péter au frette* en moins d'une semaine.

Parce que, imaginez-vous donc qu'il y a des CONSÉQUENCES aux gestes que l'on pose.

Si on agit chaque jour comme si c'était le dernier, ce que l'on fait lorsque notre temps est compté, il faut avoir beaucoup d'énergie pour accomplir tout ce qu'on veut faire. Et les gens malades ne l'ont habituellement pas, cette énergie.

Si tu fais le tour du monde, tu te teins les cheveux en orange, tu te fais mordre par un kangourou (et tu le manges par la suite, question de rétablir l'équilibre dans l'univers), tu trais une vache, tu accomplis un miracle (avoir des fesses de fer *ne compte pas*, y'a que moi qui ai le droit d'en avoir) et tout cela, en une seule journée, consulte un nouveau médecin, t'es clairement et gravement malade, mais on ne t'a clairement pas donné le bon diagnostic !

La cloche sonne : retour en classe pour moi et mes amis esclaves d'un système d'éducation qui désire nous façonner à l'image de ses valeurs afin que l'on devienne de la main-d'œuvre compétente pour des patrons qui vont nous exploiter jusqu'au *burnout*.

Wow... Qu'est-ce que je viens d'écrire là ?

Tassez-vous,
j'arrive !
Namxox

Publié le 12 février à 19 h 27
Humeur : ragaillardie

> **Fonce, Nam, fonce!**

Pendant les deux dernières périodes de la journée, j'ai eu une idée folle pour que les jeunes gens participent à la danse.

Et comme je ne voulais pas prendre le temps de réaliser à quel point elle était folle, j'ai décidé de la mettre en pratique le plus rapidement possible pour que je ne change pas d'idée.

Et ça a fonctionné !

Kim n'en revient juste pas. Moi non plus, d'ailleurs. La prostate entre mes deux seins non plus (il ne faut pas l'oublier, elle !).

Agir sans trop penser a parfois des avantages. Faut bien que mon impulsivité me serve pour répandre le bonheur, parfois, et non me mettre dans le pétrin !

J'ai modifié deux choses à mon idée de danse :

1- L'argent amassé va servir à réaliser le rêve de Chloé, une ancienne élève de l'école.

2- Pas nécessairement besoin de mettre un casque de bain pour y aller, mais pour avoir le droit d'entrer, faudra verser de l'argent à un courageux ou à une courageuse qui l'a fait.

Bref, après l'école, j'ai pris la direction du centre commercial, où il y a un gros magasin d'électronique.

Au comptoir du service à la clientèle, j'ai pris ma voix la plus désagréable et j'ai exigé que la commis appelle le gérant maintenant, là là, sinon j'allais renverser toutes les télévisions, faire des nœuds avec les fils de métal rétractables qui retiennent les téléphones cellulaires en démonstration, tousser sur les ordinateurs pour leur refiler des virus et prendre plein de clichés de mon nez en gros plan avec les appareils photographiques jusqu'à ce que leur carte-mémoire explose.

Elle a eu peur. Oh oui, elle a eu peur.

D'accord. Ça ne s'est pas passé exactement comme ça. Pourquoi personne ne me croit quand je raconte une histoire ?

J'ai demandé à la commis du service à la clientèle, avec ma voix la plus mielleuse (si mielleuse qu'il y a un ours affamé qui est apparu dans le magasin [fausse alerte, c'était un gros bonhomme très poilu]), donc avec ma voix la plus gentille, je lui ai demandé si je pouvais parler au gérant.

– Yé pas là, elle m'a répondu.

– Il est où ?

– À la toilette. Il a de la misère ces jours-ci.

De la misère ? Pourquoi elle me fournissait ce genre de détail inutile ?

– Oh, euh, je suis désolée pour lui. J'imagine ? Mais, euh, vous savez quand il va revenir ?

– Ouf, non. Des fois, ça lui prend dix minutes. D'autres fois, une heure. C'est un perfectionniste.

– Oh. Je ne savais pas que dans ce domaine, on pouvait être, euh, négligent.

– Oh oui, on peut. Lui, il aime ça quand c'est propre. S'il pouvait frotter avec du papier sablé, il le ferait.

– Hum... O.K.

La commis a regardé à gauche et à droite et, sur le ton de la confidence, a chuchoté :

– Des fois, il sort de la toilette et il est irrité au point d'être en sang. C'est un maniaque.

– Mets-en. Il a besoin d'aide, cet homme.

– Oh, je lui ai offert de l'aider. Souvent, même. Mais il veut le faire seul.

C'était quoi ce magasin où il est normal pour les employés de s'entraider pour aller à la toilette ?

– Vous lui avez offert de l'aider ?

– Bah oui. C'était rendu qu'il voulait utiliser une spatule pour mieux racler.

– Une spatule !

J'étais sur le point de décamper, affolée par la situation, quand la commis a levé les yeux :

– Justement, il revient !

En le voyant, j'ai compris que mon esprit m'avait joué un vilain tour.

C'était un homme petit aux cheveux coupés court avec une fine moustache (en comparaison avec celle de Gaston, mon chauffeur d'autobus, un véritable troll hirsute, ce petit amas de poils bien défini était un bébé farfadet).

Ses mains étaient recouvertes de gants jaunes en caoutchouc, et il traînait un vaporisateur à sa ceinture.

Je me suis mise à ricaner.

- Ça va ? m'a demandé la commis.

- Oui, oui. C'est juste que lorsque vous avez dit qu'il était à la toilette et qu'il avait des problèmes ces temps-ci et qu'il se frottait jusqu'au sang et que vous lui avez suggéré plusieurs fois de l'aider, j'ai pas pensé que c'était pour nettoyer les toilettes. J'ai pensé que tout cela était un grave problème intesti...

ALERTE ROUGE, ALERTE ROUGE, ALERTE ROUGE

Namasté, tais-toi, ne livre pas le fond de ta pensée. Tu vas t'humilier.

La commis était étonnée :

- Un problème intestinal ?

- Oui, euh, non. Un problème, euh, *intessidéral*, je voulais dire.

- Hein ? C'est même pas un mot, *intessidéral*.

- Oui, oui, ça a rapport avec les intestins de l'espace.

- Quoi ?

- Oubliez ça, d'accord ?

- Attendez, vous pensiez vraiment que je m'étais portée volontaire pour racler avec une spatule le derrière de mon gérant ?

Fallait que ce moment hautement plaisant se termine le plus rapidement possible. J'ai donc fait ce qui était approprié : parler en anglais. Essayer, du moins.

– *So you're driving beding bedang in the carwash?*

– *Beding bedang in the* quoi ?

Je me suis éloignée d'elle pour m'approcher du gérant.

– *So thank you very much beding bedang in the carwash.*

Pendant quelques instants, j'ai eu peur que la commis me demande de justifier le « *beding bedang* dans le lave-auto », mais elle est restée derrière son comptoir, interdite.

J'ai assailli gentiment le gérant, qui sentait bon le citron.

Je lui ai expliqué ce que je cherchais et je lui ai dit que, chanceux comme il était, j'avais choisi son magasin pour avoir le privilège de commanditer une danse qui allait venir en aide à une demoiselle en phase terminale du cancer.

Dit comme ça, il ne pouvait pas refuser, au risque de passer pour un sans-cœur aux gants de caoutchouc jaunes (par ailleurs, il m'a serré la main sans les enlever : j'ai failli être insultée et je me suis retenue pour ne pas parler en anglais ; oui, il l'a échappé belle).

Dix minutes plus tard, je sortais du magasin avec une console de jeux vidéo et un lecteur numérique !

Une valeur totale de cinq cents dollars !

Je me suis tournée vers la commis, j'ai pointé mes deux index dans sa direction et j'ai dit : « *Beding bedang in the carwash !* »

Avec son index, elle a tapoté sa tempe plusieurs fois en prononçant le mot « folle ».

Il s'est développé quelque chose de tangible entre elle et moi.

(...)

J'aimerais affirmer sans sourciller que c'est grâce à mon charme que je suis parvenue à cet exploit (ça a dû aider un peu, il est tellement exquis, mon charme), mais je suis tombée au bon moment, au bon endroit.

J'ai eu des articles de démonstration que le gérant était sur le point de faire tirer entre ses employés. Les deux fonctionnent parfaitement, c'est juste qu'ils ont été tripotés par des milliers de mains recouvertes de germes pendant plus d'un an.

Sans compter qu'il y a des gars qui ont sûrement bavé dessus, parce que les gars, ça bave quand c'est devant un bidule qui les transforme en zombies obsédés à l'idée de tuer des personnages virtuels de la manière la plus cruelle ou spectaculaire possible, faut juste que le sang gicle.

C'est leur côté homme des cavernes qui massacre un mammouth (MAMMOUTH !) qui ressort.

Restait maintenant à déterminer ce que mes amis d'école allaient penser de l'idée.

(…)

Le grand avantage avec Fesse-de-bouc et les médias sociaux (comme ils disent à la télévision), c'est qu'on a une réponse instantanée.

Quand il se passe quelque chose de poche, c'est l'avalanche d'insultes, de dégoût et de *kesséçaouatede-phoque*.

Sauf que lorsque c'est génial, c'est un torrent de compliments, de *epic win* et de jojoba.

Et c'est ce qui arrive avec mes nouvelles idées.

Soudainement, tout le monde veut participer. 

Yé !

Moins yé ! : j'ai des devoirs à faire.

Et je dois travailler sur l'*ÉDÉD* et peaufiner mon article : « Cinq avantages d'être célibataire ».

Un barbu presque nu attaque mes Youki !
Barbu presque nu
Youki 1
Youki 2
Youki 3

Publié le 12 février à 21 h 56
Humeur : fière

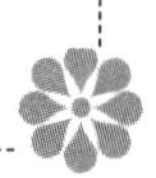

> **Victoire!**

Zoukini!

Si on se fie aux commentaires sur le mur Fesse-de-bouc de Kim, la danse va être un succès. Et ce, même si personne ne m'a encore vue danser alors que j'ai le diable au corps (je sais pas trop ce que ça veut dire, mais ça a l'air divertissant).

(...)

Chose promise, chose due: voici pour toi, mon amie internette, les cinq avantages d'être célibataire:

1- On peut baver en regardant n'importe quel gars ou fille sans faire de jaloux ou de jalouse - bon, les gens pensent qu'on est un animal pas de classe qui a la rage, mais on s'en fout parce qu'on s'accepte tel qu'on est;

2- On peut planifier seul(e) ce qu'on veut faire pendant la fin de semaine, que ce soit aller au cinéma, faire ses devoirs et étudier * *tousse, tousse* * ou simplement apprendre une nouvelle langue, pas la gluante et gigotante, l'autre, celle qui sert à communiquer;

3- Parlant de gluante et de gigotante, on a moins de risques d'attraper des maladies qui peuvent être mortelles (oui, oui) comme le rhume, l'herpès buccal (ewww) et la *noeudcoulantite aiguë* (ce qui se produit lorsque deux langues s'entremêlent et forment un nœud impossible à défaire : c'est arrivé au frère du cousin de je ne sais plus qui, mais c'est arrivé, bon !, il a fallu l'intervention des pompiers araignées, ceux qui grimpent sur les ponts, et d'un chef scout expert en nœuds) ;

4- L'argent. Déjà qu'on gagne durement notre vie en quêtant misérablement un peu de monnaie auprès de nos parents, s'il faut en plus consacrer notre petit pécule à gâter notre amoureux(se), c'est la poisse. On va se dire les vraies affaires : les filles, y'a que les diamants qui les intéressent. Les gars ? Les autos sport de luxe. Si on leur achète autre chose, ça les rend triste. Moi, c'est : pas de diamant, pas d'enchantement. C'est pas négociable. L'amour, ça coûte *beaucoup* de sous, il faut le savoir.

5- On n'a pas à supporter les parents *weird* de notre amoureux(se). Déjà que les nôtres sont bizarres, on se rend vite compte que ceux des autres le sont cent fois plus. Sans compter qu'au moindre geste, ils nous jugent et nous comparent à l'ex : « Chose était *tellement* mieux, même s'il est en prison pour avoir fait des graffitis haineux sur le chien d'un aveugle. »

En lisant ces excellentes raisons pour rester célibataire, je me demande vraiment pourquoi on s'évertue à vouloir être en couple !

Le célibat, c'est la liberté, la richesse, le laisser-aller, l'hygiène déficiente, le grabuge, la solitude et le désespoir ; que demander de mieux ?

Sauf que dame Nature ne nous a pas conçus pour rester seuls dans notre sous-sol à se gaver de cochonneries devant la télévision, *écrapou* dans un canapé défoncé.

Non.

Elle a fait de nous des êtres obsédés à l'idée de ne pas être seuls, quitte à tomber amoureux du plus sombre des crétins.

Et la garce, elle a triché : elle a fait en sorte qu'on ne voie pas les défauts de l'autre !

L'amour rend aveugle ? C'est vrai.

C'est pour ça que des filles géniales se ramassent avec des gars de gouttière (l'ami du chat de gouttière, mais qu'on ne peut malheureusement pas faire stériliser parce qu'il paraît que c'est illégal, pfff).

Et c'est pour ça que ça prend à ces filles géniales des mois, parfois des années pour réaliser que leur gars de gouttière est un pourri.

Au final, qu'est-ce qu'elle veut, cette dame Nature ?

Elle veut qu'on se reproduise à tout prix.

Elle veut des bébés. Plein de bébés. Même si ce n'est pas elle qui doit s'en occuper.

Au diable si le père gratte ses ongles sur le nouveau canapé de cuir, s'il répand son urine malodorante partout dans la maison sauf au bon endroit, ou mange ses cheveux pour les vomir quelques heures plus tard en faisant des bruits épeurants.

Pas fine, dame Nature !

L'être humain a réalisé des exploits formidables, il est allé sur la Lune, il a envoyé un robot sur Mars, il a pris des photos sublimes de l'Univers (retour du spécial astronomie !), mais quand vient le temps de gérer ses amours, on agit parfois comme des perruches pas de tête (vraiment plus démoniaque qu'une poule pas de tête, j'en suis persuadée).

Sauf moi, évidemment. Quand je suis amoureuse, je garde les deux pieds sur terre, je suis rationnelle et je ne pose aucun geste imprévisible.

Tu ne m'auras pas, dame Nature !

Je niaise, je suis comme tout le monde, j'agis comme un animal.

Mais un animal joli qui a de la classe, quand même.

(...)

Je sais, je dois absolument aller me coucher, mais une dernière chose : j'ai trouvé ce que je vais faire subir à Wolfie pour m'assurer qu'il tient vraiment à moi.

Pas question de tomber dans les bras du premier venu : si un gars veut avoir le privilège de partager des moments magiques avec moi, faudra qu'il me mérite.

Ça va s'appeler, attention, roulements de tambour et bruits de trompette :

LES DOUZE TRAVAUX DE WOLFIE

Je vais lui donner douze missions, qu'il devra accomplir. S'il n'en rate qu'une, il va être jeté dans un volcan en éruption par un sorcier au visage recouvert de sueur et aux yeux exorbités.

Mais ça, je ne vais pas le lui dire.

Je ne veux pas qu'il recule et qu'il abandonne! Je vais me sentir comme une moins que rien parce qu'il ne veut pas risquer son honneur et sa vie pour moi. ☹

(...)

C'est évidemment inspiré des Douze Travaux d'Hercule qui, eux, sont inspirés du film *Les 12 travaux d'Astérix*.

Ou le contraire, parce qu'Astérix est plus ou moins né en -60 avant Jésus-Christ et que les premières mentions des Douze Travaux remontent à 800 avant Jésus-Christ.

Et compte tenu qu'Astérix est un personnage de bande dessinée et qu'Hercule est un personnage mythique, rien de cela ne s'est vraiment produit.

Pas grave.

Je vais faire de Wolfie un dieu vivant! Ce qui, automatiquement, va faire de moi une déesse. Ce que je suis déjà, mais il ne me manque qu'une confirmation.

Je ne sais pas trop ce que je vais faire faire à mon beau Wolfie, mais je vais fortement m'inspirer du mythe romain. Les Douze Travaux d'Hercule sont, selon Wikipédia (et mes commentaires judicieux, comme toujours):

***1.** Étouffer le lion de Némée à la peau impénétrable et rapporter sa dépouille*. Un lion? Facile à trouver! Wolfie n'a qu'à entrer dans la cage d'un de ces félins dans un zoo; il ne lui restera plus qu'à accomplir le sale travail.

2. *Tuer l'hydre de Lerne, dont les têtes tranchées repoussaient sans cesse.* Ça me fait penser à mon prof d'éducation physique, à qui il manque un bras... qui n'a jamais repoussé. Finalement, ce n'est pas du tout la même chose. Ils vont se battre quand même ! *Yeah* !

3. *Battre à la course la biche de Cérynie aux sabots d'airain et aux bois d'or, créature sacrée d'Artémis.* Valentine est une biche : en lui faisant porter des bijoux et en la pourchassant avec une fourche ou une hache, elle va faire l'affaire, même si elle n'a rien de sacré.

4. *Ramener vivant l'énorme sanglier d'Érymanthe.* Le barbu que j'ai pris pour un ours au magasin d'électronique sera parfait : faudra juste le faire marcher à quatre pattes et lui apprendre à faire « groin, groin ».

5. *Nettoyer les écuries d'Augias, qui ne l'avaient jamais été.* On remplace « écuries d'Augias » par « chambre de Fred » et le tour est joué.

6. *Tuer les oiseaux aux plumes d'airain du lac Stymphale.* Y'a pas mal de mouettes agressives au restaurant de bouffe rapide pas loin d'ici qui mériteraient une leçon de savoir-vivre.

7. *Dompter le taureau crétois de Minos, que celui-ci n'avait pas voulu rendre à Poséidon.* Godzilla et son monosourcil, tsé, c't'évident !

8. *Capturer les juments mangeuses d'hommes de Diomède.* Celui-là est plus technique : ce ne sera pas agréable, mais faudra planter Wolfie en plein milieu d'un champ attenant à une ferme avec plein de carottes collées sur lui ; y'a bien une jument qui va réagir à un moment donné, non ?

9. Rapporter la ceinture d'Hippolyte, fille d'Arès et reine des Amazones. J'ai trouvé quelques Hippolyte dans l'annuaire téléphonique d'Internet, y'en a sûrement une qui est la fille d'Arès ; Hippolyte, *check* ta ceinture !

10. *Vaincre le géant aux trois corps Géryon, et voler son troupeau de bœufs.* Ça devra se faire en même temps que le truc de la jument ; une fois que le fermier va découvrir un hurluberlu aux carottes dans son champ, faudra en profiter pour le déstabiliser et fuir avec ses bœufs. Pour aller où ? Aucune idée encore.

11. *Rapporter les pommes d'or du jardin des Hespérides, que gardait Ladon.* Pas loin de la maison, il y a une fruiterie qui s'appelle « Aux fruits » (super original comme nom) et le propriétaire est vraiment bête, genre que si on regarde trop longtemps les pommes ou les oranges, il nous dit que ça les fait mûrir plus vite ; et si a on le malheur d'en palper une, il dit que *ses* fruits, ce ne sont pas des pompiers (*WTF, man*, depuis quand on tripote des pompiers quand ils interviennent ? Il a peut-être dit « plombier », ouais, là, ça a plus de sens [pas du tout]) ; Wolfie ne sortira jamais indemne de cette rencontre.

12. Descendre aux Enfers et enchaîner Cerbère, le chien aux trois têtes. Le cabanon, avec son odeur d'essence, les décorations d'Halloween et ses toiles produites par de VRAIES araignées, est l'endroit tout désigné ; il ne restera qu'à ajouter deux têtes à Youki mon p'tit chien d'amouuur et le convaincre d'entrer dans cet endroit effrayant.

(...)

Mouais. Ce n'est pas très réaliste, tout ça.

Je vais dénicher de vraies épreuves.

Faut que j'y pense.

Et faut que je le mette au courant, bien sûr. 😄

(...)

Argh, il est tard ! Je vais être fatiguée demain !

****

Célibataire? À ben bâtard, moi aussi !

Salut, mon nom est Bruno et je cherche la femme de ma vie. J'ai 25 ans, j'ai un potentiel de muscles et ma passion, c'est mon serpent, Touni. On dit de moi que je ressemble beaucoup à Brad Pitt, s'il était passé sous un rouleau-compresseur et qu'on l'aurait gonflé par la suite avec une pompe à vélo. Et après mon opération pour me faire retirer de l'estomac la pile AA que j'avais avalée juste pour le fun et pour faire rire mes chums, mon médecin m'a assuré que j'étais aussi beau en-dedans. Je cherche une fille, si possible du genre féminin, si possible normalement constituée, genre avec au moins un œil, un nez et une bouche, qui n'aurait pas peur de dormir avec moi et Touni, mon boa constricteur. Et elle doit pouvoir donner une souris vivante à Touni sans pleurer.

www.tounineмordpassaufsitusenslasouris.com

****

Rêve brisé

Namxox

Publié le 13 février à 17 h 50
Humeur : déprimée

> **Plus de dodo, s.v.p.**

C'est officiel : il y a un lien entre mon degré de fatigue et mes pensées déprimantes.

Quand j'ai peu dormi, je ne peux juste pas leur résister.

Dès que j'ai un moment de libre où mon esprit n'est pas occupé, je pense à Mom et ça dégénère.

Depuis ma mononucléose, je suis fragile de ce côté-là.

Quand j'étais jeune et innocente, il y a genre six mois, je pouvais dormir quatre heures et passer la journée suivante sur le mode turbo.

C'est fini, ce temps-là.

Je suis rendue vieille.

Et j'aime ça, me coucher tard.

Faut dire que ce matin, Mom nous a donné la frousse : elle avait tellement mal aux jambes qu'elle n'arrivait pas à se lever.

Elle pleurait de douleur.

Elle a une prescription d'antidouleurs, mais elle veut en prendre le moins possible parce qu'ils entraînent des effets secondaires importants.

Pop l'a transportée dans ses bras jusqu'à la salle de bain.

Après avoir mangé le quart d'une rôtie et bu un petit verre de lait, elle se sentait mieux.

Ouf!

Je ne supporte pas de voir ma mère souffrir. Tout de suite, ça me fait monter les larmes aux yeux. ☹

Si c'était pour un mal de dos ou un mal de dents, ça irait, c'est une situation temporaire.

Mais là, c'est permanent. Et ça va aller en s'empirant.

(...)

Demain, c'est la danse. Je devais aller aider Kim à préparer la salle ce soir, mais je vais plutôt dormir.

J'irai demain.

Je me suis couchée en arrivant de l'école, mais je n'ai pas pu fermer l'œil.

Parce que mon imagination a encore fait des siennes.

Si Mom meurt (je crois de moins en moins au miracle), Pop va se retrouver célibataire.

Et après une épreuve de deuil, il va retourner sur le marché des joueurs autonomes sans compensation et il va faire la rencontre d'une autre femme...

Oh non...

Mon avenir a défilé devant moi.

Premier scénario : ma belle-mère, lasse de ne pas avoir toute l'attention de Pop, va m'envoyer dans un parc et demander au gars louche qui passe les circulaires de lui ramener mon cœur.

Le livreur va avoir pitié de moi et, seule et abandonnée, je vais devoir vivre en appartement avec sept nains stéréotypés. À l'épicerie, une madame va me faire déguster une pomme empoisonnée et je vais mourir. Les nains vont me mettre dans un gros plat Tupperware dans le frigo et là, y'a un plombier engagé pour *péter les plombs* dans l'appart (c'est à ça que ça sert un plombier, non ?) qui, affamé, va me trouver dans le frigo. Il va ouvrir le plat de plastique, me sentir pour voir si je ne suis pas périmée et m'embrasser (ce que je fais quand je veux m'assurer que les viandes froides du réfrigérateur sont encore bonnes ; si je les embrasse et qu'elles réagissent, c'est qu'elles ne sont plus bonnes).

Et là, je vais me réveiller et je vais avoir plein d'enfants avec le plombier et je vais être super malheureuse parce que c'est pas facile de vivre avec quelqu'un dont le métier est de *péter les plombs*.

Noooon !

Deuxième scénario : ma belle-mère et ses deux filles siamoises (deux têtes pour un seul corps) vont venir habiter à la maison et, parce que Pop est en mission à l'extérieur du pays, je vais devenir leur esclave. Elles vont me faire laver les planchers en me collant des brosses à dents sur le dos et faudra que je fasse la danse du bacon comme un enfant de deux ans qui n'a pas ce qu'il veut. Les vitres devront être nettoyées avec ma langue (comme ces escargots dans les aquariums, mais tsé, je suis *pas mal* plus rapide) et elles vont m'obliger à vivre dans le grenier, là où il y a des chauves-souris.

À force de s'accrocher à mes cheveux, ces bestioles vont devenir mes amies et vont m'aider à me confectionner une robe pour participer au concours organisé par le chic Royaume de la danse sociale, où on peut avoir la chance de remporter une carte-cadeau de trente-cinq dollars dans une boucherie ou épouser un prince. Enfin, pour la première fois de ma vie, je vais ENFIN avoir l'occasion unique et rarissime de m'empiffrer de tranches super minces de jambon cuit et de *baloney*.

Le soir de ce grand évènement, ma belle-mère va m'obliger à rester à la maison pour faire ses devoirs (elle est retournée à l'école pour obtenir un diplôme de manucure-pédicure ; elle sait que je suis née avec un don pour les phanères terminaux kératinisés – les ongles –, donc elle m'exploite). Elle et les siamoises se rendent au Royaume de la danse sociale afin de mettre la main sur les trente-cinq dollars de viande.

Tandis que je renifle bruyamment du vernis à ongles pour me droguer et ainsi amoindrir l'humiliation que je viens de subir, Mom apparaît et me dit qu'elle doit s'impliquer parce que ma situation est *full* injuste (et parce qu'elle doit absolument aller à la toilette, ça fait deux ans qu'elle a envie de pipi – eh oui, les fantômes ont aussi des besoins naturels).

Elle transforme mon vieux tricycle en trottinette et fait apparaître une super belle robe en rideaux de douche avec gougounes assorties (merci, Mom). Elle m'avertit que je dois être de retour avant minuit parce qu'à cette heure, PAF !, tous mes vêtements disparaissent, je vais donc me retrouver nue comme un ver.

Je me précipite au Royaume de la danse sociale à l'aide de mon bolide et je passe une extraordinaire soirée, hormis le *mautadit* de prince qui n'a cessé de se frotter sur moi.

À vingt-trois heures cinquante-quatre, le tirage a lieu : je remporte la carte-cadeau, mais je n'ai pas le temps de mettre la main dessus puisque je dois partir.

À minuit, PAF !, je me retrouve toute nue dans la rue assise sur un tricycle à pédaler comme une malade (des photos de mon exploit circuleront sur Internet : la situation sera tellement absurde et ridicule que plusieurs affirmeront que c'est « FAAAKE », ce que je ne nierai pas ni ne confirmerai, question de m'entourer d'une aura de mystère).

Comme j'ai perdu une gougoune en me sauvant, le prince *gossant* la récupère et, obsédé par ma grande beauté et mes broches (ouais, y'é *weird*), il part à ma recherche.

(Je sais que ce n'est pas évident, mais je me suis inspirée du conte intitulé *Cendrillon*, écrit par Charles

Perrault, pour cette anticipation ténébreuse de mon futur. Question : si, à minuit, tous les objets qui servent à Cendrillon pour être une princesse retournent à leur forme initiale, pourquoi ce n'est pas le cas du soulier perdu ? Hein ? Tu réponds quoi à ça, Charlie Boy ? Ton histoire ne devrait pas s'appeler *Cendrillon*, mais *Cendrier*. Parce que comme une cigarette, ton histoire ne tient pas debout. Je viens de pulvériser l'enfance de millions d'enfants en mettant une incohérence au jour et, oui, je me sens coupable. Mais quelqu'un devait faire le sale boulot, et je l'ai fait.)

Donc, quand le prince entre dans la maison, je me cache tandis que les sœurs siamoises décident de mettre fin à leur projet d'avoir les ongles d'orteils les plus longs et jaunâtres du monde (miam miam) : elles les coupent pour que leurs pieds entrent dans la gougoune.

Et sachant que le prince tripe sur les filles qui ont des broches, elles recouvrent leurs dents de papier d'aluminium.

Parce qu'il n'y a *tellement* aucune différence entre une fille avec une seule tête et une fille avec deux têtes, le prince n'y voit que du feu et ils se marient et ont plusieurs enfants.

Et moi, eh bien, je vais mourir au bout de mes larmes, sèche comme un pruneau, songeant à cette carte-cadeau sur laquelle j'ai failli mettre la main et qui m'aurait délivrée de mes souffrances. ☹

(...)

Mon soutien-gorge était vraiment trop serré, le sang se rendait difficilement à mon cerveau, ça m'a fait délirer, vraiment désolée.

Après l'avoir dégrafé de ma main experte, tout est rentré dans l'ordre.

Souper.

Attrape-moi si tu peux

Publié le 14 février à 01 h 12
Humeur : reposée

> **Soirée relax**

Après souper, Wolfie m'a textée et m'a demandé si je faisais quelque chose.

Moi : Je dors.

Wolfie : Avec moi?

Moi : Y'a de la place sous mon lit.

Wolfie : Oh, sous ton lit, génial!

Moi : Sans blague, j'aimerais qu'on se voie, mais je suis crevée.

Wolfie : Alors laisse-moi te rapiécer et te regonfler.

Moi : Dis comme ça, ça me tente vraiment.

Wolfie : On va regarder un film, je vais te jouer dans les cheveux pendant que t'as la tête sur mes cuisses.

Moi : Ouais, je sais pas trop...

Herpès buccal : Hey CENSURÉ de CENSURÉ, avez-vous fini de niaiser? Prenez une décision, CENSURÉ , j'ai pas juste ça à faire, lire vos mamours.

Moi : T'as acheté un cell à ton feu sauvage?

Wolfie : Ouais, j'étais tanné qu'il utilise le mien.

Moi: Prochaine étape, apprends-lui les bonnes manières.

Une demi-heure plus tard, Wolfie était passé au club vidéo et avait loué un film d'horreur que j'avais déjà vu (mais je ne lui ai pas dit pour ne pas lui faire de la peine). On s'est installés sur le canapé de mon sous-sol, j'ai pris une doudou et j'ai posé ma tête sur les genoux de Wolfie.

- Avant de m'endormir, j'ai deux choses à te dire.

- Je t'écoute.

- Premièrement, demain, y'a une danse à l'école. Je vais porter un casque de bain pour aider une ancienne élève cancéreuse dans le besoin. Je veux que tu me commandites.

- Comment? En écrivant mon nom sur ton casque?

- Très drôle, mon p'tit falafel. En me donnant de l'argent. Beaucoup d'argent.

Il a fouillé dans la poche de sa chemise et a sorti un billet de vingt dollars.

- As-tu de la monnaie pour...

J'ai immédiatement subtilisé son argent.

- Ça va être parfait.

- Hey! C'est deux heures de travail à l'épicerie!

- C'est pas de ma faute si t'as un emploi de schnoute. Trouves-en un plus payant.

- C'est pour mettre de l'essence dans le réservoir de l'auto de mon père.

– Je sais pas, moi, fais pipi dedans. Tu vas rendre une fille mourante heureuse.

– Son rêve, c'est de me voir faire pipi dans le réservoir de l'auto de mon père ?

– T'es trop tordu, mec. Avec l'argent que tu viens de me donner, on va pouvoir l'aider à mourir plus heureuse.

– Une chance que je t'aime.

– Justement, parlant de ça, je suis prête à officialiser notre couple.

– *All right !*

– Tu dois cependant savoir qu'avant de pouvoir avoir l'insigne honneur d'être mon *chum*, faudra que tu me prouves que tu me mérites.

– Je viens de te donner vingt piastres, c'est pas assez ?

– Non, mon gros baklava. Faudra que tu réussisses...

J'ai emprunté la voix d'une possédée du démon :

– **LES DOUZE TRAVAUX DE WOLFIE**.

Youki, couché sur le tapis entre la télévision et nous, s'est relevé et s'est enfui en couinant.

Dans ma tête, j'ai entendu le feu sauvage exploser :

– CENSURÉ de CENSURÉ, qu'est-ce qui vient de se passer, j'ai eu la peur de ma vie, moi je CENSURÉ mon camp, vous êtes tous des CENSURÉ de malades !

Les yeux grands ouverts, Wolfie m'a demandé :

– C'était quoi, cette voix que tu viens d'avoir ? Ça m'a fait peur.

C'était comme si je venais de fumer dix paquets de cigarettes, que j'avais avalé des pilules de testostérone, que j'avais une pharyngite et qu'on m'avait asséné un coup de marteau sur le petit orteil.

– Je sais pas. Je me suis moi-même surprise. Promis, je ne le ferai plus. Même ton feu sauvage a eu peur. Il a disparu.

Wolfie est allé se regarder dans le miroir de la salle d'eau.

– Wow. Pas mal plus efficace que les antibiotiques.

Il est revenu s'assoir.

– Il est parti où, tu penses ?

– Dans les fentes du canapé, sans aucun doute. Il y a toute une flore là-dedans. Un miracle qu'on ne se soit pas fait encore mordre une foufoune par lui.

– Tout à coup, j'ai le goût de m'assoir par terre.

– Ce n'est pas mieux, je t'assure. Donc, faudra que tu accomplisses douze travaux. Une fois qu'ils seront faits, je serai toute à toi.

– Cool ! C'est quoi, les travaux ?

Je n'avais pas pris le temps de songer aux exploits que je voulais qu'il réalise. Donc j'ai dit la première chose plus ou moins intelligente qui m'est passée par l'esprit.

– *Beding bedang in the carwash*.

– Hein ?

– Je veux que tu me rapportes un moustique vivant.

– Un moustique ? On est en plein mois de février !

– Ah oui ? C'est donc pour cela qu'à l'extérieur, il y a de la neige.

– Arrête de niaiser. Où je vais trouver ça, un moustique en plein hiver ?

– Je ne sais pas. Si tu vois un manteau, une tuque, des mitaines et des bottes flotter dans les airs, y'a peut-être un moustique caché dessous. Eux aussi ont froid.

– Mouais... O.K. Tu veux vraiment me mettre au défi, c'est ça ?

– C'est pour cela que ce sont...

J'ai raclé ma gorge, puis j'ai rugi :

– **LES DOUZE TRAVAUX DE WOLFIE**.

Au rez-de-chaussée, on a entendu de nouveau Youki gémir. Et une partie de la tapisserie de la salle d'eau s'est décollée, des cadres sont tombés tandis que Wolfie a commencé à pleurer comme s'il coupait un oignon.

Je suis possédée, je pense.

Ou j'ai terriblement mauvaise haleine.

(...)

J'ai appuyé sur le bouton *Play* de la télécommande, le film d'horreur a commencé, Wolfie a caressé mes cheveux et quatre secondes plus tard, je bavais de fatigue sur ses cuisses.

Et je viens de me réveiller ; il est deux heures et quart du matin et je ne m'endors plus du tout. Je ne me suis même pas rendu compte que Wolfie était parti. Il n'a probablement pas voulu me réveiller, gentil comme il est.

Oh, je viens de constater qu'il a gravé sur mon avant-bras, avec la clé de l'automobile de son père : « *Wolfie was here.* »

Quel romantique !

(...)

Je pense que je vais relire l'*ÉDÉD* spécial anti-Saint-Valentin et me coucher après.

Crois-le ou non,
elle veut ton bien
Namxox

Publié le 14 février à 9 h 46
Humeur : éclatante

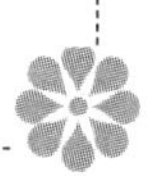

> Joyeuse Saint-Valentin !

Je pense que la danse de ce soir va être un succès.

Il y a une cinquantaine d'élèves qui ont confirmé leur présence.

Pour ma part, mon casque de bain est prêt et j'ai amassé quatre-vingts dollars.

Zoukini !

Je suis en méga forme.

Mom aussi. Tout le monde est de bonne humeur.

Pop est allé acheter des centaines de roses, c'est super beau.

Je me suis réveillée à neuf heures avec la sonnerie texto de mon cellulaire. C'était Wolfie qui me disait qu'il m'aimait et qui me souhaitait une belle Saint-Valentin.

Wow.

Je pense que je vais trouver ça long, douze travaux.

D'autant plus que ça a pris à Hercule dix ans pour les réaliser !

On va voir comment il va faire pour le moustique. J'ajusterai mes défis en conséquence.

(...)

C'est cet après-midi que la deuxième édition de l'*Écho des élèves desperados* va paraître.

Une fois que je l'aurai tout relu, je vais l'envoyer à monsieur Patrick, qui va le mettre en ligne.

Je sais qu'il ne connaîtra pas autant de succès que le premier numéro (cent soixante-neuf pour cent du nombre total des élèves l'ont téléchargé ! – certains l'ont probablement téléchargé plus d'une fois, mais il y a aussi pas mal de gens qui ne sont pas des élèves qui l'ont fait), mais j'espère qu'on va avoir un nombre satisfaisant, genre soixante-quinze pour cent.

Monsieur Patrick trouve génial que l'*ÉDÉD* soit lu par des gens qui ne fréquentent pas l'école : c'est l'avantage d'un journal virtuel ; il est lu beaucoup plus facilement que s'il était imprimé.

Dans mon éditorial, je parle de Lara et de son histoire de plagiat. Je dis que c'est une grave erreur de sa part, mais qu'à mon sens, il n'y a pas qu'elle à blâmer. On devrait se demander pourquoi une fille aussi brillante en vient à se dire que copier-coller une histoire trouvée sur Internet est une bonne idée. De plus, je rappelle aux lectrices et aux lecteurs qu'avant de juger, il vaut mieux se mettre à la place de Lara pendant quelques instants et se demander quel calvaire elle doit vivre. Un peu d'empathie, je vous prie !

J'ai aussi écrit un autre article tellement *nawak* que s'il y a quelqu'un qui pense que c'est vrai, je me rentre un écouteur dans le nez et je me le fais sortir par la bouche.

Éradication de l'école buissonnière

Depuis que l'école existe, le problème de l'absentéisme en est un de taille. Notre école, ne reculant devant rien, a décidé de prendre le taureau par les cornes et de remédier à la situation.

Depuis que l'école existe, le problème de l'absentéisme en est un de taille. Notre école, ne reculant devant rien, a décidé de prendre le taureau par les cornes et de remédier à la situation.

Dorénavant, lorsqu'un élève est malade, une ex-gardienne de prison pas heureuse dans son cœur se rendra chez lui afin de confirmer le malaise. S'il s'avère qu'il s'agit d'un vil mensonge, elle aura la permission de le traîner jusqu'à l'école en le tenant par l'oreille.

Par ailleurs, des tireurs d'élite armés de carabines décochant des flèches paralysantes seront maintenant postés sur le toit de l'école afin d'empêcher quiconque de quitter les lieux sans autorisation.

Une fois immobile, l'élève inconscient sera ramené à l'école en se faisant tirer l'oreille par l'ex-gardienne de prison pas heureuse dans son cœur.

Monsieur M., le directeur de notre école, reconnaît que les mesures sont extrêmes: « Les mesures sont extrêmes. »

Et du même souffle, il ajoute que c'est pour le bien des élèves: « C'est pour le bien des élèves. »

Avis aux étudiants rebelles qui auraient dorénavant l'intention de foxer*: y'a une matrone qui ne demande qu'à vous agrandir les oreilles.*

Un conseil, en terminant: si vous la croisez dans un corridor, ne la regardez pas dans les yeux, elle pourrait interpréter ce geste comme une menace et vous faire payer pour tout l'amour qu'elle n'a pas reçu dans sa vie.

C'est pas du grand journalisme, ça? Hein?

Sérieux, est-ce qu'il y a quelqu'un, quelque part, qui va penser que c'est une vraie nouvelle?

(...)

Grosse journée en perspective.

Cet après-midi, je dois aller magasiner les bonnets de bain avec Kim et Geneviève.

Puis on se rend à l'école pour terminer la décoration de la salle.

Après, c'est la danse, et avec tout l'argent amassé, Kim, Gen et moi, on va aller se faire faire tatouer un super gros dragon dans le dos par un gars qui stérilise ses aiguilles en crachant dessus, tatouage qu'on va amèrement regretter de s'être fait faire jusqu'à la fin de nos jours.

Mais nooon, je niaise: on va aller se faire faire tatouer une énorme sirène avec de gros seins: sa tête va être sur notre nuque, son corps va recouvrir complètement notre dos et sa queue va descendre sur nos jambes jusqu'à nos chevilles.

YEAH ! 😋

(…)

Chloé est intense.

Je n'ai pas répondu à son dernier courriel, j'étais trop fatiguée ; elle m'en a envoyé trois depuis ce matin pour me demander si j'étais fâchée contre elle.

Pourquoi je le serais ?

La pauvre, je pense qu'elle est tellement seule qu'elle a peur de me perdre.

Je lui ai répondu que j'étais désolée, que je ne l'avais pas oubliée, que j'étais juste trop fatiguée pour lui répondre.

De plus, elle m'a révélé son rêve : un voyage à Disney World.

Je ne lui ai pas dit que la danse lui était dédiée et que si la tendance se maintenait, elle pourrait bientôt réaliser son rêve.

Elle va avoir la surprise de sa vie !

Hier soir, Wolfie m'a demandé pourquoi je ne lui en avais pas encore parlé : c'est simple, j'avais peur de me planter et de lui faire subir une autre déception.

Je ne m'imagine pas lui présenter le projet et, au bout du compte, lui dire qu'on n'a pas assez amassé de sous.

Je me sentirais *full* mal.

Quand je lui ai parlé de Chloé, monsieur M. m'a dit ne pas s'en souvenir, mais bon, des dizaines de milliers d'élèves sont passés dans son école depuis qu'il est directeur, il ne peut pas se souvenir de tous.

Une chose est sûre : il va se souvenir de moi longtemps. Si belle, si douce, si intelligente, si fruitée sans être délicate pour autant, une rondeur parfaite (hein ?).

J'ai jeté un œil sur un site d'agence de voyages et partir à Disney World dans un tout compris - l'avion, l'hôtel, la nourriture et être pourchassé sans relâche par Goofy pendant sept jours –, c'est un petit peu moins de mille cinq cents dollars.

J'espère tellement qu'on va y arriver !

(…)

Allez, c'est l'heure de l'opération casque de bain.

Ma mission : que celui que je vais porter ce soir soit le plus laid !

Publié le 14 février à 14 h 04
Humeur : désemparée

> **Oh, schnoute !**

Eurk...

Il vient de se passer un évènement vraiment désagréable au centre commercial.

Et en plus, il a fallu que ça tombe le jour de la Saint-Valentin !

C'est épouvantable.

Je capote, je ne sais tellement pas quoi faire.

Pauvre Kim...

Ne manque pas la suite
des aventures de Namasté, dans le tome 17,
Mais l'amour n'est pas fort,
en librairie fin 2013.

Dans la même série

Le blogue de Namasté – tome 15 – *La vie après l'amour*
Éditions La Semaine, 2013

Le blogue de Namasté – tome 14 – *Dire ou ne pas dire*
Éditions La Semaine, 2012

Le blogue de Namasté – tome 13 – *Survivre*
Éditions La Semaine, 2012

Le blogue de Namasté – tome 12 – *Le cœur en miettes*
Éditions La Semaine, 2012

Le blogue de Namasté – tome 11 – *La vérité, toute la vérité !*
Éditions La Semaine, 2012

Le blogue de Namasté – tome 10 – *Le secret de Mathieu*
Éditions La Semaine, 2011

Le blogue de Namasté – tome 9 – *Vivre et laisser vivre*
Éditions La Semaine, 2011

Le blogue de Namasté – tome 8 – *Pour toujours*
Éditions La Semaine, 2011

Le blogue de Namasté – tome 7 – *Amoureuse !*
Éditions La Semaine, 2010

Le blogue de Namasté – tome 6 – *Que le grand cric me croque !*
Éditions La Semaine, 2010

Le blogue de Namasté – tome 5 – *La décision*
Éditions La Semaine, 2010

Le blogue de Namasté – tome 4 – *Le secret de Kim*
Éditions La Semaine, 2009

Le blogue de Namasté – tome 3 – *Le mystère du t-shirt*
Réédition La Semaine, 2010

Le blogue de Namasté – tome 2 –
Comme deux poissons dans l'eau
Réédition La Semaine, 2010

Le blogue de Namasté – tome 1 –
La naissance de la Réglisse rouge
Réédition La Semaine, 2010

Autres titres du même auteur

Pakkal XII – *Le fils de Bouclier*
Éditions La Semaine, 2010

Pakkal XI – *La colère de Boox*
Éditions La Semaine, 2009

Pakkal X – *Le mariage de la princesse Laya*
Éditions Marée Haute, 2008

Pakkal IX – *Il faut sauver l'Arbre cosmique*
Éditions Marée Haute, 2008

Le deuxième codex de Pakkal, hors série
Éditions Marée Haute, 2008

Pakkal VIII – *Le soleil bleu*
Les Éditions des Intouchables, 2007

Circus Galacticus – *Al3xi4 et la planète de cuivre*
Éditions Marée Haute, 2007

Pakkal VII – *Le secret de Tuzumab*
Les Éditions des Intouchables, 2007

Pakkal VI – *Les guerriers célestes*
Les Éditions des Intouchables, 2006

Pakkal V – *La revanche de Xibalbà*
Les Éditions des Intouchables, 2006

Pakkal IV – *Le village des ombres*
Les Éditions des Intouchables, 2006

Le codex de Pakkal, hors série
Les Éditions des Intouchables, 2006

Pakkal III – *La cité assiégée*
Les Éditions des Intouchables, 2005

Pakkal II – *À la recherche de l'Arbre cosmique*
Les Éditions des Intouchables, 2005

Pakkal I – *Les larmes de Zipacnà*
Les Éditions des Intouchables, 2005

DISPONIBLES EN LIBRAIRIE
Les aventures du fabuleux Neoman

Le fabuleux Neoman –
Tome 1.1
Le projet N

Le fabuleux Neoman –
Tome 1.2
L'effet domino

Le fabuleux Neoman –
Tome 1.3
La méthode Inferno

Le fabuleux Neoman –
Tome 2.1
La théorie du chaos

Le fabuleux Neoman –
Tome 2.2
Erreur 1976

Collection Grand-peur tome 1

Les têtes réduites, premier roman d'horreur de la collection Grand-peur, raconte l'histoire d'une adolescente de 16 ans, Nadia Walker, aux prises avec un problème de timidité maladive. Contre toute attente, elle devient amie avec la fille la plus populaire de l'école, Mélina Bérubé, après avoir assisté à un horrible accident impliquant le copain de cette dernière. Au grand dam de sa meilleure amie qui la met en garde, elle se laissera hypnotiser par son charisme mortel.

Mélina Bérubé est belle, intelligente et cache un secret maléfique qui changera à jamais la vie de Nadia Walker. S'ensuit un suspense à couper le souffle dont les nombreux rebondissements tiendront le lecteur en haleine jusqu'à la dernière page.

Collection Grand-peur tome 2

Après le succès retentissant des *Têtes réduites*, Namasté nous offre son deuxième roman d'horreur, *Harcelée*.

Sabrina Lavoie est nouvelle à son école secondaire. Dès le premier jour, sa marraine, Mégane Ladouceur, la met en garde contre une certaine Cindy, qui la harcèle depuis des années et que Sabrina doit à tout prix éviter. Mégane compare Cindy à une araignée qui tisse sa toile autour de sa proie pour prendre le temps de la dévorer par la suite.

Alors que Sabrina, qui a déjà été victime d'intimidation, se met dans la tête de changer Cindy, elle est pourchassée par une mystérieuse inconnue qui lui apparaît un jour dans son miroir.

Cette fille décédée depuis plusieurs mois serait une victime de Cindy.

Collection Grand-peur tome 3

QUAND UNE IMAGE VAUT MILLE MORTS

Alice, une adolescente de quinze ans qui a le coeur sur la main, est amateur de photographie à l'ancienne avec pellicule et développement à l'aide de produits chimiques. Après que l'objectif de son vieil appareil se soit brisé en heurtant le sol, elle en trouve un usagé chez un mystérieux antiquaire.

Alice réalise rapidement que ce nouvel objectif a la particularité de prendre des clichés dérangeants. Au même instant, on souligne le dixième anniversaire d'un évènement tragique qui a eu lieu a son école secondaire. Des questions ont été laissées sans réponse et Alice croit qu'avec son objectif, elle peut y répondre. Elle met alors la main dans un engrenage qui l'entraînera dans un voyage infernal au bout d'elle-même.

Collection Grand-peur tome 4

QUAND L'ESPRIT DE FAMILLE PREND
UN TOUT AUTRE SENS...

Adèle a 16 ans. Fille unique, elle a toujours rêvé d'avoir une soeur. Pour des raisons de santé, sa mère n'a jamais pu lui offrir ce bonheur. Cependant, le rêve d'Adèle se réalise lorsque ses parents accueillent une adolescente du même âge qu'elle, une jeune fille qui semble sincèrement reconnaissante de se retrouver dans une famille aussi aimante. Mais derrière le sourire de cette nouvelle venue se cache plusieurs secrets ténébreux qu'Adèle découvrira graduellement. Et si le rêve se transformait en cauchemar ?

Les esprits frappeurs, quatrième roman de la collection Grand-peur qui offre des romans d'horreur à succès pour les jeunes, est une oeuvre d'une intensité inégalée. Ce récit entraînera les lectrices et les lecteurs dans une intrigue au suspense enlevant et les captivera à tel point qu'ils ne pourront mettre de côté le roman avant d'arriver à la dernière page, où une fin surprenante et choquante les attend.

Eden et les O.V.N.I.S.

2014

Pour des concours,
des nouvelles exclusives et
des mammouths (mettons),
joins-toi à la communauté
Facebook des **25 000 fans** du
Blogue de Namasté !

www.lebloguedenamaste.com

Notre distributeur :

Messageries de presse Benjamin
101, rue Henry-Bessemer,
Bois-des-Filion (Québec)
J6Z 4S9
Tél. : 450 621-8167

Achevé d'imprimer au Canada par
Marquis Imprimeur Inc.